Sinterklaasverhalen

Sinterklaasverhalen

Met illustraties van

Saskia Halfmouw

Uitgeverij Holland
Haarlem – 1996

Omslagtypografie: Saskia Halfmouw

ISBN 90 251 0756 7
NUGI 220

Dit boek is gedrukt op milieuvriendelijk, chloorvrij gebleekt en verouderingsbestendig papier, dat geproduceerd is binnen de Europese Gemeenschap waardoor onnodig en milieuverontreinigend transport is vermeden.

Inhoud

muziek: Frans de Goor
(snel) van schoor-steen naar schoor-steen sluipt bo-ven op het dak een
ke-rel met een zwart ge-zicht en een gro-te vol-le zak een
1,2,3
4
ke-rel met een zwart ge-zicht en een gro-te vol-le zak

Jan de Haan

Van schoorsteen naar schoorsteen

Van schoorsteen naar schoorsteen
sluipt boven op 't dak,
een kerel met een zwart gezicht
en een grote volle zak.
Een kerel met een zwart gezicht
en een grote volle zak.

Van schoorsteen naar schoorsteen
stapt ook een statig paard.
't Is heel erg groot en heel erg wit
en 't heeft een lange staart.
't Is heel erg groot en heel erg wit
en't heeft een lange staart.

Van schoorsteen naar schoorsteen
zit boven op dat paard,
een oude man met een gouden staf
en een lange witte baard.
Een oude man met een gouden staf
en een lange witte baard.

Van schoorsteen naar schoorsteen
zeg kijk nu toch eens gauw.
't Zijn Sinterklaas en zwarte Piet
en ze komen ook naar jou!
't Zijn Sinterklaas en zwarte Piet
en ze komen ook naar jou.

Johanna Prins

Toen Sinterklaas in staking ging

'Ik heb er geen zin meer in,' zuchtte Sinterklaas. 'Elk jaar die lange reis. Wie vaart er nu nog met een stoomboot? En dan al die regen en kou in Holland, en al die kinderen die op mijn knie willen zitten...'
Hij zat in zijn hoge leunstoel en staarde door het open raam naar buiten, naar de bloeiende sinaasappelbomen in zijn Spaanse tuin. Een warme wind blies langs zijn wangen. En uit de keuken kwam de lucht van versgebakken speculaasjes, de lievelingskoekjes van Sinterklaas. Naast zijn stoel stond zijn knecht zwarte Piet, de hoofdpiet, die net was binnengekomen met een dik boek onder zijn arm. Daarin waren de namen geschreven van alle kinderen die een pakje moesten krijgen.
'En niet te vergeten al die cadeautjes,' mopperde Sinterklaas, terwijl hij naar het boek keek. 'Elk jaar weer iets nieuws verzinnen.'
De hoofdpiet kreeg geen kans om te zeggen dat de meeste kinderen een verlanglijstje stuurden. 'Ik ga niet,' zei Sinterklaas, en zijn ogen begonnen te glimmen. 'Ik staak. Stuur alle kinderen maar een brief. Ik sla een jaartje over.'
Hij zakte onderuit in zijn stoel, waarbij zijn mijter van zijn hoofd afgleed en op de grond terechtkwam. Vanuit de vensterbank sprong een dikke zwarte poes op zijn schoot, die zich oprolde en onmiddellijk begon te spinnen. Sinterklaas lachte even en toen snurkte hij.

Hoofdpiet schudde zijn hoofd. Met grote stappen liep hij de kamer uit, het dikke boek nog steeds stevig onder zijn arm geklemd.
In een kamer aan de overkant van de gang, zaten de hulppieten aan een lange tafel op hun baas te wachten. Wat zou Sinterklaas dit jaar weer bedacht hebben voor de kinderen in Holland?
'Ik hoop dat er veel speelgoedauto's gekocht moeten worden,' zei een van de Pieten. 'Daar ben ik goed in.'
'Geef mij maar puzzels,' zei een ander, 'veel spannender om uit te zoeken.'
Ze heetten allemaal Piet, de hulppieten, net als hun baas. Maar voor het gemak hadden ze allemaal een bijnaam. Danspiet, Knutselpiet,

Pretpiet, Huilpiet, Snoeppiet, Rijmpiet en Piet-de-Prater, om er maar een paar te noemen. Wat die namen betekenen, kun je wel raden. Het heeft te maken met wat die Pieten het liefst van alles doen.
De deur ging open en de hoofdpiet kwam binnen. Meteen waren alle hulppieten stil. Waarom keek de hoofdpiet zo kwaad? Hij liep naar de tafel en smeet het dikke boek erop. 'Sinterklaas staakt,' zei hij. 'We gaan niet naar Holland dit jaar.'
Hij ging zitten, trok een schaal koekjes naar zich toe en at achterelkaar tien koekjes op. 'Zo,' zei hij, 'dat lucht op.'
Toen vertelde hij wat de Sint gezegd had. En nadat hij was uitgepraat, deed alleen Huilpiet zijn naam eer aan. Verder bleef het doodstil.
Maar lang duurde dat niet. 'Dat nemen we niet,' riep Piet-de-Prater. 'Elk jaar een reis naar Holland, dat hoort bij ons werk, daar hebben we recht op. Bovendien, wat moeten al die kinderen die op ons wachten? Die kunnen we toch niet in de steek laten?'
'Stil,' zei Hoofdpiet, 'Ik heb een idee. Sinterklaas is gek op kinderen, al moppert hij nog zo erg. We halen een paar kinderen uit Holland hierheen om te vragen of hij komt... dan kan hij vast geen nee zeggen.'
'Een kind dat goed kan dansen,' riep Danspiet, 'dat vindt hij leuk.'
'Of knutselen, dat is nog leuker,' riep Knutselpiet.
'We moeten dit goed aanpakken,' zei Hoofdpiet. 'We laten drie kinderen komen. Pretpiet, Rijmpiet en Piet-de-Prater gaan ze halen.'
De andere hulppieten keken wel een beetje teleurgesteld, maar hielden toch hun mond, want de opdracht was niet alleen leuk maar ook heel moeilijk.
'Maar wie gaan we halen en hoe?' vroeg Piet-de-Prater. 'Met de stoomboot kost te veel tijd. Het is al gauw vijf december.'
'Jullie gaan vliegen,' zei Hoofdpiet.
Rijmpiet keek wat angstig, maar Pretpiet riep: 'Hoi, we gaan de lucht in.'
Hoofdpiet pakte het namenboek, dat nog voor hem op tafel lag en sloeg het open. 'We gaan namen prikken.' Hij deed zijn ogen dicht en liet zijn rechterwijsvinger langs de regels glijden. 'Stop,' riep Danspiet. De vinger stopte en alle hoofden bogen zich naar het boek. 'Maartje de Wit,' las Hoofdpiet hardop. 'Een lief meisje, alleen ze huilt gauw.'

'Daar kan Sinterklaas niet tegen,' zei Huilpiet, terwijl de tranen over zijn wangen rolden. 'Dan zal ik haar wel in de zak moeten stoppen.'
'Stel je niet aan,' zei Pretpiet. 'Er is al in geen jaren meer een kind in de zak verdwenen.'
'We sturen Pretpiet naar haar toe,' zei Hoofdpiet, terwijl hij het boek op een andere plaats opensloeg. Weer gleed een vinger langs de namen.
'Crispijn van Dongen, een aardige knul, nogal driftig.' Hoofdpiet lachte. 'Dat lijkt me een leuke klus voor Rijmpiet.'
En snel zocht hij de volgende naam: 'Elsa Egberts, een bazig meisje, maar ze helpt iedereen als ze de kans krijgt. Daar gaat Piet-de-Prater naar toe.'
De hulppieten keken elkaar aan met grote vraagtekens in hun ogen.
'Een huilebalk, een driftkop en een bazige tante: een leuk stel heb je uitgezocht,' zuchtte Piet-de-Prater.
Maar Hoofdpiet stond op en keek naar de drie uitverkoren Pieten.
'Jullie gaan met het eerste vliegtuig morgenochtend. Ik zal de adressen klaarleggen. Overmorgen verwacht ik jullie terug, mèt de kinderen. En denk erom, Sinterklaas mag hier niets van weten.'
Met grote stappen liep hij naar de telefoon om de vliegreizen te gaan bespreken.

Maartje de Wit zat op haar kamer. Voor haar op tafel lag een opengeslagen boek. Ze duwde een donkere sliert haar terug in haar paardenstaart en zuchtte. De tekening voor Sinterklaas wilde maar niet lukken. Er lagen al minstens tien proppen in de prullenmand. Driftig scheurde ze weer een blad uit het boek.
Maar voordat ze het kon verfrommelen, hoorde ze een stem: 'Niet doen, Sinterklaas is gek op dat soort tekeningen. En die Piet lijkt precies.'
Maartje liet de tekening los en vloog overeind. Recht tegenover haar, in de vensterbank, zat Pretpiet. Hij lachte, waarbij zijn mondhoeken bijna bij zijn oren kwamen, net als op de tekening. En toen moest Maartje vanzelf ook lachen.
Pretpiet sprong op de grond. 'Ik kom je halen,' zei hij. 'Je moet ons helpen.' Toen schrok Maartje natuurlijk weer. Maar Pretpiet duwde haar terug op haar stoel, ging op een hoek van de tafel zitten en vertelde het verhaal van Sinterklaas, die niet naar Holland wilde ko-

men. Hij wist zelfs een paar tranen uit zijn ogen te persen. En Maartje had maar een klein hartje. Toen Pretpiet vroeg of ze mee wilde gaan, zei ze al gauw ja. Ze slikte drie keer, legde een briefje op tafel en klom achter Piet aan de dakgoot in.

Ondertussen was Rijmpiet bij Crispijn aangeland, die achter in de tuin aan het oefenen was met een bal, die hij tegen de schuurmuur schopte. Hij had geel stekeltjeshaar, en een rood hoofd van inspanning. Ondanks de gure wind droeg hij een kort sportbroekje.
'Hé, wat ben jij aan het doen,' zei Rijmpiet, met zijn hoofd om de hoek van de schuur, 'nog steeds geen kampioen?'
'Kop dicht,' schreeuwde Crispijn meteen, 'anders krijg je een lel.'
Toen pas zag hij wie er achter de schuur stond. Hij liet zijn bal vallen en zijn mond zakte open. 'Jij bent veel te vroeg dit jaar.'
'Ik zal niet liegen,' zei Rijmpiet, 'we gaan samen vliegen.'
'Vlieg op, man,' grijnsde Crispijn, 'je weet best dat ik niet vliegen kan.'
'Reken maar van wel, en verkleed je snel. Je bent vast nog nooit in Spanje geweest. Daar mag je pleiten voor het Sint Nicolaasfeest. Je moet nu als geheim agent gaan werken. Niemand mag er iets van merken. Het is een bijzondere opdracht. Ga snel, het vliegtuig wacht.'
Ze keken elkaar aan en Crispijns ogen werden twee keer zo groot. Toen pakte hij zijn bal en verdween als een speer naar binnen.
'Ik wacht hier achter de schuur. Vlug, we hebben nog een uur,' schreeuwde Rijmpiet hem na.

Elsa zat met rode wangen en haar neus in de lucht op het hek voor haar huis. Even brak de zon door de wolken en ze ademde zo diep dat het leek alsof ze de zonnestralen naar binnen wilde snuiven.
'Hallo,' zei Piet-de-Prater, die de hoek om kwam. 'Jij moet Elsa zijn. Je lijkt me wel aardig. Je hebt bijna net zo'n mooie krullenbol als ik.'
Elsa kreeg geen kans iets te zeggen. 'Je mag mee naar Spanje, met het vliegtuig,' ratelde Piet-de-Prater verder. 'Sinterklaas wil niet naar Holland komen dit jaar. En nu moeten alle kinderen voor niets hun schoen zetten. En de Pieten hebben niets te doen. En de enige keer in het jaar dat we op reis gaan, is naar Holland. En nu heb ik samen met de andere Pieten bedacht dat een paar kinderen naar Sinter-

klaas moeten gaan, om te vragen of hij toch wil komen, want tegen kinderen kan hij geen nee zeggen, en...'
'Stop,' riep Elsa, terwijl ze van het hek sprong. 'Je kletst te veel, we moeten meteen vertrekken.'
Ze rende naar huis. 'Ik ga even naar Spanje, naar Sinterklaas,' riep ze om de hoek van de deur naar haar moeder.
'Goed hoor, kind,' zei haar moeder, die wel wat gewend was, zonder op te kijken van haar boek.
Elsa greep Piet-de-Prater bij zijn hand en even later waren ze om de hoek verdwenen.

Sinterklaas aaide de poes die zoals altijd op zijn schoot lag en keek naar de drie kinderen die naast Hoofdpiet voor zijn stoel stonden.

Elsa was de eerste die een stap naar voren deed. 'Het is bij ons zo donker in december,' zei ze met een heldere stem. 'Alle kinderen willen dat u komt. Dan schijnt in elk geval de maan weer door de bomen.'
'Onzin,' zei Sinterklaas, 'jullie kunnen ook wel zingen zonder mij.'
Meteen stond Crispijn naast Elsa. 'We zijn door de lucht naar Spanje gebracht. Door alle kinderen in Holland wordt op u gewacht. En Sint, ik wil ook nog vertellen, dat je in een vliegtuig naar huis kunt bellen.'
Hij haalde diep adem. 'En later word ik piloot,' zei hij toen vlug.
Sinterklaas lachte. 'Een goed idee, kerel. Bij mij mag je in dienst komen als Rijmpiet de tweede... volgend jaar.'
De mondhoeken van Hoofdpiet zakten steeds meer naar beneden. Toen stapte Maartje naar voren. Ze kon niets zeggen. Ze keek Sinterklaas alleen maar aan. En Sinterklaas keek terug. 'Alle pepernoten nog aan toe,' zei hij eindelijk. 'Wat kan jij je tranen goed verstoppen. Wil je zo graag dat ik kom?'
Maartje knikte heftig en uit allebei haar ogen ontsnapte één traan. Sinterklaas keek naar zijn tuin, en zuchtte zo diep dat de poes van zijn schoot rolde. 'Wat sta je daar te kijken,' riep hij toen naar Hoofdpiet. 'Snel aan het werk. Er is nog veel te doen voordat de stoomboot kan vertrekken.'
'Joepie, hij komt,' schreeuwde Elsa, terwijl ze Maartje in haar arm kneep. En Maartje was zo blij dat ze niet meer op haar tranen lette.
'Mogen wij met de stoomboot mee?' riep Crispijn.
'Prima idee,' zei Sinterklaas, terwijl hij zijn mijter weer op zijn hoofd zette, 'nieuw gezelschap zal me goed doen. Piet regel jij dat even?'
'Ik moet altijd alles regelen,' mopperde Hoofdpiet, maar toen verdween hij als een pijl uit een boog naar de Pietenkamer om te vertellen dat het Sinterklaasfeest dat jaar toch door zou gaan.

Van Johanna Prins is verkrijgbaar:

Ik ben Jessie

Paul Biegel

De kleren van Sinterklaas

Joke had vuurrode wangen van opwinding. 'Moet je horen!' riep ze, 'moet je horen!' Ze holde de speelplaats op. 'Hij komt bij ons logeren. Bij ons thuis!'
'Huh?' vroeg Sylvia. 'Logeren? Wie?'
'Nou,' riep Joke. 'Sinterklaas natuurlijk.'
'Sinterklaas??'
Nu drongen alle kinderen om haar heen. 'Hoor je dat? Hoor je dat? Sinterklaas komt bij Joke thuis logeren.'
'Haha! Dat kan niet. Sinterklaas logeert nooit.' Dat zei Bert.
'Hij moet toch ergens slapen?' Dat riep Marja.
'Maar niet bij mensen thuis!'
'Nee. Maar waar dan wel?'
'Sinterklaas slaapt niet. Hij rijdt over daken 's nachts.'
'Ja – dan slaapt hij zeker overdag.'
'Maar niet bij Joke.'
'Welles!' riep Joke. 'Bij ons. Hij komt bij ons logeren. Ik heb het zelf gezien.'
'Gezien? Sinterklaas?'
'Nee,' zei Joke. 'Z'n kleren.'
En ze vertelde: 'De bel ging. En toen kwam er een man. Die bracht een grote koffer. En mama zei: "Zet hem maar op de logeerkamer." Maar ze wou niet zeggen wat erin zat. Toen ben ik gaan kijken. Stiekem. De koffer zat niet op slot. En Sinterklaas z'n kleren zaten erin. Zelf gezien.'
De kinderen staarden met wijdopen mond. Maar Bert zei: 'Ik geloof er niks van.'
'Nou,' zei Joke, 'vraag het dan maar aan mijn mama.'
Dat deden ze. Toen de school uitging en Jokes mama aan het hek stond om Joke af te halen, holden alle kinderen op haar toe.
'Mevrouw, mevrouw, is het waar wat Joke zegt? Dat Sinterklaas bij u komt logeren?'
Jokes mama keek raar.
'Hoe komen jullie daar bij?' vroeg ze.

'Ha ha! Joke zegt dat de koffer van Sinterklaas bij u thuis is gebracht.'
'Oh,' zei Jokes moeder. Haar wangen werden ook een beetje rood. 'Ja dat is waar. Ik wist niet dat jij dat gezien had, Joke.'
Oei, oei. Joke kreeg een kleur als vuur.
'Nu ja,' zei mama. 'Van die koffer, dat is waar. Maar of Sinterklaas ook bij ons komt logeren... dat weet ik niet zeker.'
'Oh?' riep Marja nu. 'Wat gek. Waarom laat hij dan z'n koffer alvast brengen?'
'Tja,' zei Jokes moeder. Ze krabde even in haar hals. 'Hij zal ook wel komen, denk ik. Twee of drie daagjes.'
Toen trok ze Joke mee. Gauw naar huis.
De andere kinderen zagen vanaf een afstand dat Joke op haar kop kreeg. Omdat ze het verklapt had natuurlijk.
Die avond kon Joke helemaal niet in slaap komen. Overmorgen is het vijf december, dacht ze. Sinterklaas is al lang in het land, hij moet nu toch gauw in huis komen. Maar moeder had gezegd dat hij het veel te druk zou hebben om Joke te zien. 'Héél laat in de nacht komt Sinterklaas pas slapen, en heel vroeg in de ochtend moet hij alweer op pad,' zei moeder.
Ik moet nòg vroeger wakker worden, dacht Joke. Dan sluip ik stilletjes naar de logeerkamer. In gedachten zag ze Sinterklaas in bed liggen, met zijn baard boven de dekens. Bij háár in huis. Zou hij snurken?
Maar Joke werd pas heel laat wakker.
Ze kwam bijna te laat op school.
En het logeerbed, had ze gezien, was niet omgewoeld. De sprei lag nog keurig recht. Of zou Sinterklaas het bed zelf weer hebben opgemaakt, voor hij wegging?
'Dat zou best kunnen,' zei Sylvia, toen Joke het haar vertelde. Maar Bert en de anderen geloofden daar niets van. 'Hij is helemaal niet bij jou thuis geweest,' zeiden ze. 'En hij komt ook niet.'
Joke was verdrietig. En 's avonds in bed, drukte ze haar gezicht diep in de kussens. Tegen de tranen. Tot ze opeens gescharrel hoorde in de logeerkamer. Met een sprong was Joke haar bed uit. Zou het toch... Ze sloop naar de gang, luisterde even aan de logeerkamer en deed hem zachtjes open.
Ze schrok ontzettend. Want daar stond Sinterklaas. Echt werkelijk

Sinterklaas, in zijn rode mantel en met zijn rode mijter op het hoofd. Voor de spiegel stond hij, en kamde zijn baard.
Jokes mond viel open. 'Sinter-' wilde ze zeggen, maar opeens werd ze aan haar arm getrokken, terug de gang in, deur dicht. Het was mama. 'Foei Joke, dat mag je niet zien. Ik bedoel: je mag Sinterklaas niet storen. Je moet in je bed blijven liggen en slapen.'
'Ja maar, mama...'
Het hielp niets. Joke werd weer ondergestopt en even later hoorde ze Sinterklaas weggaan. Boem, zei de voordeur.
Maar ik heb hem toch lekker gezien, dacht Joke. Nu weet ik dat het echt is. Dat hij echt bij ons logeert.
'Ha ha,' riep Bert de volgende morgen op school. 'Ik geloof er niets van. Je verzint het.'
'Nietes.'
'Welles.'
'Nietes.'

Geen van de kinderen geloofde het. Behalve Sylvia. Dat was toch Jokes beste vriendinnetje. 'Weet je wat?' zei Sylvia. 'We komen je morgenochtend afhalen. Want morgen is het zes december en dan hoeft Sinterklaas niet meer te werken. Dan zit hij natuurlijk gewoon bij jullie aan het ontbijt, en kunnen wij hem zelf zien.'
Sylvia had altijd van die goede plannetjes.
Maar mama keek bedenkelijk. 'Ik weet niet of Sinterklaas...' begon ze weifelend, maar ineens zei papa: 'Ik denk het wel. Zijn boot vertrekt om tien uur morgenochtend. Dat komt precies uit.'
Joke was zo opgewonden, dat ze die avond pas heel laat insliep, en de volgende ochtend drie keer door haar moeder moest worden wakker gepord. 'Sinterklaas zit aan het ontbijt,' riep mama.
Droom ik? dacht Joke.
Toen ze eindelijk de kamer binnenkwam, stonden daar Sylvia en Marja en Bert en Anneke en Jeroen en Marten en Frederik en... en... aan tafel zat, rustig een boterhammetje smerend, Sinterklaas. Hij had waarachtig een beetje eigeel geknoeid op zijn baard.
'Wat ben je laat, Joke,' zei Sinterklaas. 'Kom maar gauw zitten.'
Joke kneep in haar vel, of ze niet tòch droomde. Maar Sinterklaas zat er echt. Hij dronk een kopje thee en at nog een boterham met bramenjam. En alle kinderen die Joke nieuwsgierig waren komen afhalen, stonden er stil bij te kijken.
'Ja,' zei Sinterklaas. 'Jullie wilden het niet geloven hè? Maar Joke had gelijk. Ze had mijn koffer met kleren goed gezien. En waar de kleren van Sinterklaas zijn, daar is Sinterklaas zelf ook.'

Van Paul Biegel zijn onder andere de volgende boeken verkrijgbaar:

Het sleutelkruid
De tuinen van Dorr
De dwergjes van Tuil (5 delen)
De kleine kapitein (3 delen)
Het olifantenfeest
Het lapjesbeest
De rover Hoepsika
Haas (3 delen)
De vloek van Woestewolf
De rode prinses
Anderland, een brandaan-mythe
Juttertje Tim
Nachtverhaal
De soldatenmaker
De karabijn
Het ijzeren tapijt

Rob Thonen

Het kleed

'Waarom gooi je dat tafelkleed weg?' vraagt Twan.
Hij kijkt toe hoe mama het rode kleed bij het vuilnis legt.
'Het ziet er nog goed uit mam, d'r zitten niet eens gaten of vlekken in.'
'Nee,' zegt mama, 'maar wel vuil van eeuwen. Ik heb het nog van m'n moeder. En die had het weer van háár moeder.'
'Maar je kan er nog van alles mee doen!' zegt Twan.
'O ja? Wat dan?' Mama is nieuwsgierig.
'Nou... zo...' Twan hangt het kleed over zijn schouders. 'Nu heb ik een rooie mantel,' legt hij uit.
'Leg dat kleed gauw terug, voordat ik je de mantel uitveeg!' zegt mama.
Twan doet het niet. Hij gaat ermee de straat op. Het is lastig lopen, want de mantel sleept over de grond.
'Ei, Twan,' roept zijn buurjongen, 'loop niet zo moeilijk joh. Je bent net een houten klaas!'
'Ei, Twan,' roept de buur- van de buurjongen, 'als je een mijter opzet, ben je geen *houten*, maar een *Sínterklaas*!'
Het is waar. Twan lijkt een heel klein beetje op een Sinterklaas, met die rode mantel om zich heen. Een jonge Sinterklaas met kort, donker haar. Zonder baard, mijter, staf. Een soort mislukte Sinterklaas dus.
Mama had gelijk: dat tafelkleed is waardeloos. Twan heeft er genoeg van. Aan het eind van de straat werpt hij het weg, het kleed. Op een hoopje vuilnis op de stoep. Dan rent Twan vlug naar huis. Want zonder jas buiten, brrr, dàt is koud in december.
Daar ligt het kleed, over het afval van onbekende mensen. De rafels wapperen in de wind. Het wachten is op de vuilnismannen, en die komen – vuilnismannen zijn keurige mensen – meestal op tijd.
Het zijn er twee dit keer: een eerste en een tweede vuilnisman.
De eerste vuilnisman heeft het kleed vast. 'Kijk hier, Ix.'
De tweede vuilnisman kijkt. 'Wat is d'r, Sax?'
'Dit tafelkleed is puik, Ix. Wat mensen zoal niet wegdoen.'

'Misschien hebben ze d'r hun voeten op afgeveegd, Sax.'
'Of hun achterste, Ix.'
'Sax, jij smeerlap!'
'Nee, effekes serieus, Ix. Wie weet wat d'r voor 'n verhaal aan kleeft. Misschien is dit kleed gemaakt door kindjes in een fabriek. Kindjes die nooit es daglicht zien. Dat is zo, Ix, in sommige landen. Kinderarbeid heet dat.'
'Sax, jij beuzelt.'
'Nee nee Ix, het was op tv. Eigenlijk zou Sinterklaas díe kindjes cadeautjes moeten brengen. Die kindjes in die fabrieken en zo, die bedoel ik, Ix.'
'Schei uit, Sax.' De tweede vuilnisman trekt het kleed over het hoofd van Sax. Sax ziet niks meer, en dat vinden ze erg grappig.
'Hahaha, Sax ziet niks meer,' lacht de tweede vuilnisman.
'Hihihi, ik zie niks meer,' giechelt de eerste.
Ze springen achter op de vuilniswagen. Een paar huizenblokken verder werpen ze het kleed weg, voor de voeten van meneer Huigelpriest. Het is hinderlijk, vuilnis ophalen met zo'n kleed over je kop. Ze hadden het ook in de wagen kunnen gooien, maar daar moet je net opkomen.
Meneer Huigelpriest wacht totdat de vuilniswagen het hoekje om is. Daarna raapt hij het tafelkleed op, bekijkt het van alle kanten.
Even zien of er scherpe puntjes aan zitten. Nee.
Meneer Huigelpriest spreidt het kleed uit over zijn glimmende, krasloze auto. Dat is goed tegen de vorst. Hoeft ie morgen niet als een idioot zijn voorruit staan schoon te krabben.
Zo, de ruitenwissers er klik, klik op. En zie, het kleed bedekt zelfs een stukje autodak, prima bedacht!
Meneer Huigelpriest wrijft in zijn handen. Hij is tevreden. Met een lach op zijn kaken gaat hij naar binnen. Daar wacht zijn vrouw, met koffie en RTL-4.
Woe-ah!... Woe-ah!... Een hond bijt zich in het kleed vast. Het is een dobermannpincher, voor de liefhebbers. Zijn poten gaan krsj, krsj, over de autolak.
'Dobbie...! Dobbie, laat dat!' roept een meisje met vlechten in het haar, onder haar jas een snoezig jurkje kant en klaar. Ze tuurt naar de ramen om zich heen.
De hond heeft het rode tafelkleed te pakken. Hij heeft het zelfs heel

goed te pakken. Hij rent, holt, rolt er met het kleed vandoor; het meisje met de vlechten erachteraan.
'Dobbie stout!'
De hond stopt een eind verderop, op een grasveldje. Hij snuffelt en piest tegen een bankje, waarop een oudere man zit.
Het meisje komt niet in zijn buurt. Het is een vieze, oude man, denkt ze. En vieze, oude mannetjes stinken, zijn vaak kinderlokkers en aan de drugs, zegt papa.
'Ketchup!' roept het meisje.
Daar luistert de hond pas naar. Hij laat het kleed liggen, rent woe-ah! woe-ah! naar het meisje toe.
Nou moet ze Dobbie natuurlijk straffen omdat hij stout was. Zij is de baas, zegt papa.
'Woef!'
Janiks, de zwerver, wordt wakker van luid geblaf. Hij heeft het koud gekregen. Het middagdutje, op dit bankje, heeft hem niet goed gedaan. Het veld is te open.
Janiks gaat rechtop zitten. Hij heeft lang, wit haar en een lange, witte baard. Hij noemt het zijn Tolstojbaard. Janiks houdt van lezen.
Dàt is vreemd. Hij dacht echt geblaf gehoord te hebben. Maar hij ziet geen hond. Wel ziet Janiks een rood kleed, jawel! Een tafelkleed. Zou hij...
Janiks gebruikt het kleed als dekmantel. Ziezo, dat voelt al warmer. En nu? Hij zou naar het Leger des Heils kunnen gaan, om zich te warmen en zo. Maar ze hebben er geen goede boeken. Alleen maar pulp.
Trouwens, hm, hij heeft niet voor niks voor dit beroep gekozen. Lekker in de buitenlucht, één met de uitlaatgassen. Heerlijk!
Janiks, de zwerver, begint aan een wandeling. Hij houdt van wandelen, jawel. Je kan dan zo lekker fluiten, en bij mensen naar binnen gluren...
In dit huis hier bijvoorbeeld, daar is wat gaande. Het is vol mensen. En ze zingen!
'O, kom er eens kij-ken...'
Dat doet Janiks meteen. Hij gaat voor het raam staan, tuurt naar binnen.
Heilige Raskolnikow, het zijn kinderen: sommige wijzen naar hem, andere zijn bang zo te zien. Ha!

Voordat Janiks het weet, is hij binnen. Ze denken dat hij Sinterklaas is. Jawel! Hm, het komt door die rode mantel, en zijn baard...
De kinderen zingen en zingen maar. Af en toe eentje op schoot, hier en daar even kuchen. Wat moet hij zeggen? Ja, niks, Janiks weet niet wat. Eten! Dat is belangrijk. Zoveel mogelijk eten en eten. Vol die lege maag! En zo nu en dan 'uh-huh' mompelen of 'jjjááá?'
De kinderen vinden het allemaal prima. Die moeder daar, die vertelt het wel. Waarom hij geen mijter draagt. Enzovoort en zo verder.
Na een dik uur staat Janiks, de zwerver, weer op eigen benen. Op straat.
'Dag Sinterklaasje, daahaag, daahaag...' zingen de kinderen.
Janiks heeft de tranen in zijn ogen. Niet van de kinderen, maar van een overvolle maag. Hij heeft er zijn buik vol van, van alle snoep en zo. Janiks is misselijk. Het komt door die mantel, dat kleed. Hm! Bezorgde hem niks dan misselijkheid. Ziek, ziek.
Janiks legt het tafelkleed netjes naast de voordeur.
Heilige Sonja, daar komt de echte Sinterklaas! En een zwarte Piet! Als die dit allemaal horen! Ziek, ziek...

Janiks maakt dat hij wegkomt. Maar Sinterklaas ziet hem heus wel. Sinterklaas ziet alles, en dat is veel.
'Zo, zo, hoor je dat Fred?' zegt Sinterklaas, als hij met zwarte Piet bij het huis is.
Alfredo houdt een hand om zijn oor. 'Ik hoor niks, Klaas.'
'Juist! De kinderen in dit huis zijn uitgezongen. We komen voor Piet Snot.'
'U moet niet spotten met Piet Snot, Klaas,' zegt Alfredo.
'Juist!' zegt Sinterklaas. 'Of, niet juist! Die zwerver heeft mijn plaats ingenomen. Zie je hem daar lopen met z'n bolle buik, Fred.'
'Ja, Klaas,' knikt Alfredo. 'Dat was niet aardig van hem, om u te spelen.'
'Ach, aardig, aardig, laat hem maar. We kunnen beter weer gaan. Anders, Fred, anders geloven de kinderen in dit huis niet meer in me. Dan denken ze dat ook ik een nepsinterklaas ben. Dan vragen ze: "Wie was nou de echte?" En dan gaan ze twijfelen, Fred, snap je... Kom, laten we gaan...'
'Ja,' knikt Alfredo.
Maar Sinterklaas blijft staan. 'Wat is dàt, dat stuk rode stof naast de deur?'
Alfredo pakt het vast. 'Dat, Klaas, dat is een tafelkleed. Het ziet er o zo mooi uit, vindt u ook niet?'
'Juist!' zegt Sinterklaas. 'En dat ga jij voor mij wassen, strijken en vouwen. Weet je waarom Fred?'
'Nou?' vraagt Alfredo. Hij haalt zijn schouders op.
'Omdat, Fred, omdat ik iemand ken die dat graag zou willen hebben. Ja, ja, Fred, de moeder van Twan, die vroeg een tafelkleed. Nu, ik geef de moeder van Twan dít kleed, zo is dat!'
En Sinterklaas knipoogt tot besluit, dit verhaaltje...

('O Twan,' zegt mama, 'kijk es wat ik van Sint heb gekregen!')

Van Rob Thonen zijn de volgende boeken verkrijgbaar:

Fauve
Dromen van Quinn

Mickey de Werd

Sinterklaas, zeven rovers, juffrouw Annet en het poppetje Bam

Dit is een heel ingewikkeld verhaal. Voor mij tenminste, want ik moet het opschrijven. En ik weet niet goed hoe ik zal beginnen. Ik schrijf nooit. Maar Sinterklaas zegt dat ik het toch moet proberen. Omdat het een echt gebeurd verhaal is. Een verhaal over Sinterklaas, zeven rovers, juffrouw Annet en het poppetje Bam. Ik heb briefpapier van Sint Nicolaas gekregen om het op te schrijven. Papier met een gouden randje. Dan moet het vast wel lukken, zou je zeggen. Toch ben ik daar nog niet zo heel zeker van. Maar vooruit, ik ga het proberen.

Ik begin bij het poppetje, want dat poppetje ben ik. Ik ben Bam. Ik weet niet waar ik vandaan kom. Waarschijnlijk heeft iemand mij verloren in het bos. Of ik ben gewoon weggegooid, dat kan ook nog. Ik kan me niets meer herinneren uit die tijd. Ik ben gevonden door een rover-hoofdman, Jan Dop geheten. Ik lag op dat moment verstijfd van de kou op een boomstronk, onder een laagje sneeuw. Alleen mijn mutsje en mijn rechterschoen waren nog te zien.
Jan Dop heeft mij opgeraapt, omdat hij dacht dat ik een aangeklede muis was. Hoe hij op dat idee kwam, is mij een raadsel. Misschien omdat ik er muis-stil bijlag. Ik weet het niet.
Jan Dop nam me mee naar het rovershuis in het bos. Daar ontdooide ik onder de tafellamp. De sneeuw smolt en toen werd duidelijk dat ik geen aangeklede muis was, maar een poppetje. Dat was voor Jan Dop een grote teleurstelling. Hij gromde, tilde me op tussen duim en wijsvinger en hield me tegen het lamplicht. En liet me even later op tafel vallen. Hij bekeek me een tijdje en zei: 'Zal ik hem het huis uit kieperen? Zal ik hem in de kachel gooien? Zal ik hem aan de muur hangen. Of fijnknijpen?'
Ik zou niet hebben geweten wat ik had moeten kiezen. Volgens mij zou ik geen van de mogelijkheden overleven. Maar hij vroeg het niet aan mij, hij sprak tegen de zes andere rovers. En een van die rovers zei na een poosje: 'Jan, doe niet zo moeilijk. Zet hem als versiering in

de rand van je hoed. Als een gelukspoppetje zullen we maar zeggen.'
Jan Dop vond dat een goed idee. En sindsdien woonde ik in de rand van zijn hoed.
Ik kon languit liggen in de rand van de hoed. En als het regende en de rand liep vol, dan kon ik zwemmen. Echt rondjes zwemmen, zo klein ben ik.
Het was een fijne plaats. Want Jan Dop bewaarde er van alles: snoepjes, lekkere hapjes, fruit. Ik had het heerlijk. En het was elke avond feest. Elke avond werden er zakken vol speelgoed binnengedragen. Flessen limonade, computers, rolschaatsen, poppenkleertjes, noem maar op. Zingend gooiden de rovers de buit op tafel. Er werd gelachen en gedronken.
Daar denk ik nu met heel veel spijt aan terug. Omdat ik ook heb gelachen. Ik heb gedanst van plezier in de rand van de hoed. Dat had ik nooit mogen doen. Een kind zou dat nooit gedaan hebben. Maar ja, ik ben geen kind. Ik ben een poppetje. Kinderen zijn veel slimmer. Die zouden meteen begrepen hebben dat er iets niet pluis was. Het woord rover en het woord buit zouden een kind wel aan het denken hebben gezet, die denken daarbij meteen aan het woord stelen. De rovers *stelen* de buit. En daar valt helemaal niet om te lachen. Al die mooie spullen op de tafel waren gewoon gepikt. En in dit geval waren ze gestolen van de kinderen uit de buurt.
Als ik er aan terugdenk, word ik roodgloeiend van schaamte. Voor mijn gevoel zou ik zo door de rand van de hoed kunnen branden. Om op de grond in vonken uiteen te spatten. Maar ik zit op dit moment niet meer in de rand van de hoed. Ik zit ergens anders te schrijven en mijn pen trilt. Want wat er nu volgt, is nog erger. Ik durf het bijna niet te vertellen, maar ik moet eerlijk zijn.
Daarom schrijf ik dat de gestolen buit bestond uit de cadeautjes die Sint Nicolaas voor de kinderen had meegebracht uit Spanje. Lees het nog maar eens, want het is bijna niet te geloven. Ze zijn door de rovers gestolen uit de schoentjes van de kinderen. Elke nacht, zo rond zes december, haalden de rovers de schoentjes leeg. Ze pakten de cadeautjes die de zwarte Pieten daar even tevoren hadden neergelegd. Zes rovers gingen elke nacht op pad. De zevende, Jan Dop, bleef thuis. Omdat een rover-hoofdman niet uit stelen gaat, als het niet hoognodig is. Ik weet niet waarom, maar zo waren de regels. En omdat Jan Dop thuisbleef, bleef ik ook thuis, in de rand van zijn hoed.

Pas in de nacht van vijf december heb ik begrepen wat er aan de hand was. In die koude nacht, toen de maan door de bomen scheen. In die nacht was het plotseling wèl hoognodig dat ook Jan Dop op rooftocht ging. Overal lagen cadeautjes in de schoenen van de kinderen. De buit was zo groot, dat de zes andere rovers tijd te kort kwamen om alles op te halen. En dus besloot Jan Dop om te helpen, en ik ging natuurlijk mee.
Daar liepen we dan. Door het bos, over een landweg, naar de stad. Met grote stappen. Ik klemde me vast aan de rand van de hoed.
We klommen op een dak en stonden bij de schoorsteen van juffrouw Annet. Juffrouw Annet is de juf van groep 4. Omdat zij een grote schoorsteen heeft, hadden alle kinderen hun schoentjes bij haar in de kamer gezet. De tekeningen en de gedichten waren door de zwarte Pieten al meegenomen. In plaats daarvan lag de grond bezaaid met cadeautjes. 'Een flinke buit', zoals rovers dat noemen.
We stonden dus bij haar schoorsteen. Jan Dop aarzelde. Volgens mij had hij dit werk nog niet vaak gedaan. Hij maakte een onhandige in-

druk. 'Moet ik daarin?' mompelde hij. 'Dat donkere gat?' Hij boog zich voorover. En plotseling nòg eens. En wel met zó'n schok, dat ik uit de rand van zijn hoed tuimelde en gillend naar beneden viel.
Jan Dop schrok zo van mijn gegil dat hij er vandoor ging. Hij liet mij mooi alleen.
Dat is niet het gedrag van een held, dat is duidelijk. Maar zo is het gegaan.
Ik kwam in een hoop zaagsel terecht. Ik had niks gebroken, gelukkig, maar ik was bang. Ik had zin om te huilen. En opeens zat ik in de hand van juffrouw Annet. Ze had een schemerlampje aangedaan. Ze ging op de rand van haar bed zitten en droogde mijn tranen. Ze zei dat ze Annet was, de juf van groep 4, van de school om de hoek. Ze gaf me een snoepje: 'Vertel nou eens wat er gebeurd is. Waarom ben je hier?'
Ik zei dat we bezig waren om de schoentjes leeg te halen. Dat het voor mij de eerste keer was, en heel spannend. En dat de andere rovers het veel beter deden dan Jan Dop. Dat ik Jan Dop een beetje onhandig vond. Dat ik een van de andere rovers wel zou vragen om het over te doen.
Juffrouw Annet kneep me bijna fijn van boosheid. Met schorre stem riep ze: 'Wat zeg je nou? Zijn jullie wel goed snik? Zomaar alles afpikken van kleine kinderen. Wat ben jij voor een gemeen klein opdondertje?' Haar stem klonk streng. Haar ogen waren donker en ik was sprakeloos van schrik. Ik begreep er niets van.
'Kom op, naar buiten,' snauwde ze. Ze deed haar sloffen aan, sloeg een jas om haar schouders en nam me mee. 'Waar zijn de rovers?' riep ze bars, 'breng me erheen.'
Zo liepen we terug naar het bos. Juffrouw Annet was heel boos en nam grote stappen. Ik hing in het knoopsgat aan de voorkant van haar jas, om de weg te wijzen. 'De dieven,' riep ze steeds, 'de dieven, de dieven.'
'Het zijn geen dieven,' probeerde ik nog uit te leggen, 'het zijn geen dieven, het zijn rovers, en ze hebben zo'n plezier.'
Maar het hielp niks. Erger nog, ze werd bozer en bozer.
Toen we het rovershuis naderden, hoorde ik gezang en gestamp van laarzen. De rovers waren allemaal teruggekeerd. De buit was binnen, dat kon ik horen. De buit van vijf december lag op de grote tafel. En ik maakte me opeens zorgen om juffrouw Annet. Jan Dop kan hard

knijpen als iets hem niet bevalt. En zo'n boze juffrouw die zomaar komt binnenstormen...
'Ga niet naar binnen,' riep ik daarom. Maar ze had de deur van het huisje al opengegooid. En... ze werd meteen gevangengenomen.
Op de tafel lagen poppen, treintjes, boeken, schaatsen en nog veel meer. Cadeautjes van de kinderen, dat was duidelijk.
Juffrouw Annet keek ernaar. 'Ach,' zei Jan Dop, 'is dat niet de juffrouw van groep 7? Aangenaam.' Hij boog. 'Wat een eer om een juf vast te mogen binden op een stoel. Ik zeg altijd: Een moedige juf is een schat voor de klas, maar een verschrikking voor rovers. Sorry, juf, wij moeten u helaas gevangennemen. U hoort hier niet te zijn. Dit is ons feestje. Het zou heel jammer zijn als ons geheim uitlekte. Als Sint Nicolaas hier achter zou komen, bedoel ik.'
Juffrouw Annet kreeg een doek voor haar mond en werd met nieuwe fietsenbinders aan de stoel vastgebonden.
Zo is het gegaan, precies zoals ik het nu opschrijf.
En ik dacht: ik ga Sint Nicolaas zoeken. Ik ga hulp halen. Het kan me niet schelen wat de straf is. Ik ben Bam, een poppetje, ik weet niet wat er aan de hand is, maar dit gaat niet goed zo.
Ik wurmde me ongezien uit het knoopsgat en gleed langs de binnenkant van de jas van juf Annet naar beneden. Snel kroop ik door een kier onder de deur naar buiten. En ik liep zo hard ik kon terug naar de stad. Was ik nou maar een muis, zoals Jan Dop dacht toen hij me vond. Dan had ik vier pootjes om te rennen, in plaats van twee houten poppenbeentjes.
De weg was lang en koud en donker. Toen ik bijna niet meer kon, struikelde ik over de schoen van een zwarte Piet.
En die heeft me naar Sint Nicolaas gebracht.
Alle zwarte Pieten kwamen bij elkaar in de grote hal van het hotel, waar Sint Nicolaas logeerde. Ik zat op de armleuning van de grote stoel en vertelde mijn verhaal. De zwarte Pieten stonden met open mond te luisteren. Alle speelgoed gestolen? En juf Annet gevangengenomen? Zo'n ingemeen klein poppetje hadden ze, geloof ik, nog nooit gezien. Maar Sint Nicolaas bleef aardig en waardig.
'Het is een droevig verhaal, Bam,' zei de Sint, 'maar het is goed dat je het vertelt. Arme Pieten,' vervolgde hij hoofdschuddend: 'al jullie werk voor niets. Wat moeten we doen?'
De zwarte Pieten hoefden daar niet lang over na te denken. 'Naar de

rovers,' klonk het uit honderd kelen, 'redden wat er te redden valt, en opnieuw beginnen.'
En zo gebeurde het. Het paard van Sint Nicolaas werd uit de stal gehaald. Sint Nicolaas werd in het zadel geholpen en alle Pieten sloegen eensgezind en moedig de weg in naar het bos.
En ik zat op de mijter, om de weg te wijzen naar de rovers.
Wat een tocht. Om nooit te vergeten. Het leek wel of de bomen in het bos eerbiedig bogen. Vooral de dennen wuifden diep met hun groene waaiers. Dit was dus Sint Nicolaas. De grote kindervriend op zijn witte paard. En ik zat daar op zijn mijter. Ik, het poppetje Bam. Als ik er aan terugdenk, moet ik weer bijna huilen.
Maar het verhaal gaat verder.
Toen wij bij het huisje van de rovers aankwamen, was het daar opmerkelijk rustig. Sint Nicolaas stond erop dat hij als eerste naar binnen zou gaan. Met mij op zijn mijter. Dat wou ik zelf.
Sint Nicolaas deed de deur open. De zwarte Pieten volgden, klaar om de rovers te overmeesteren als dat nodig was.
Maar dat was niet nodig. Aan de lange tafel zaten de rovers cadeautjes in te pakken onder leiding van juffrouw Annet.

De juf van groep 4 liep weer gewoon los. Ze gaf Sint Nicolaas een hand en tilde mij voorzichtig uit de mijter. 'Doorwerken jongens,' riep ze tot de rovers en die gingen haastig verder met inpakken. Juffrouw Annet bood Sint Nicolaas een stoel aan.
Jan Dop tikte met zijn hand tegen de rand van zijn hoed. 'Bam, jij hoort hier.' Maar ik wilde niet. Er was nog zoveel niet duidelijk.
Waarom zat juffrouw Annet niet vastgebonden op een stoel? Waarom zaten de rovers de cadeautjes weer in te pakken? Wat was er gebeurd terwijl ik weg was?
Ik zal het opschrijven.
Lang geleden was juffrouw Annet, ook de juf van Jan Dop. Toen zat Jan Dop bij haar in groep 4. Een niet onaardig ventje in die tijd. Een beetje onhandig. Ze herkende hem meteen. De manier waarop hij haar had vastgeknoopt aan de stoel, was met een typische Jan Dop-knoop: prutswerk. De doek voor haar mond viel na twee minuten al op de grond. Op dat moment deed juffrouw Annet haar mond open. En toen herkende Jan Dop juffrouw Annet ook.
'Jantje Dop,' zei juf Annet. 'Dit kan zo niet. Een grote kerel die kleine kindertjes plaagt en berooft, daar kan ik niet tegen. Daar ben ik heel boos om.'
Ze keek hem met haar grote, donkere ogen strak aan. 'Maak het maar gauw goed en pak alles weer snel in.'
Jan Dop voelde zich weer het jongetje uit groep 4, dat stout was geweest. Hij deed haastig wat juffrouw Annet had gezegd. De andere rovers schoven bedremmeld naderbij en hielpen mee. En zo zaten ze zwijgend te knippen en te plakken toen wij binnenkwamen.
Op dit moment zijn de rovers niet thuis. Ze zijn bezig met het terugbrengen van de cadeautjes. Wat een werk! De zwarte Pieten zijn meegegaan om de weg te wijzen en om aan te geven welk cadeau bij welk kind hoort, want alles ligt nu in de war. Juffrouw Annet heeft de leiding van de tocht op zich genomen.
En ik zit op de grote tafel. Ik ben niet meegegaan met Jan Dop. Ik ben dit verhaal aan het schrijven. En tegenover mij zit Sint Nicolaas. Af en toe knikt hij mij vriendelijk toe. 'Lukt het Bam?'
Ja, ik geloof wel dat het lukt. Het verhaal is bijna af. Ik schrijf alleen nog dat ik Sint Nicolaas zo mooi vind, en zo aardig. En dat ik straks weer ga wonen in de rand van de hoed van Jan Dop. Want daar hoor ik thuis. En ik zal wel zorgen dat hij niet meer uit stelen gaat!

Mies Bouhuys

Twee kaarsjes

Er stond aan zee, hier ver vandaan
– te ver om heen te lopen –
een huis, zo klein als kan bestaan,
de deur stond altijd open.

En in dat huisje woonde Kas,
Kas liep altijd te dromen
dat Sinterklaas, hoe ver 't ook was
een keertje langs zou komen.

Maar Sint kende zijn huisje niet,
het stond niet in zijn boeken.
Hoe zouden hij en zwarte Piet
er dan naar kunnen zoeken?

Maar toen weer net als ieder jaar
de stoomboot langs zou komen,
had Kas zijn plannetje al klaar:
misschien zou Sint nu komen!

Vlak voor het raam, op 't randje haast,
daar zette hij zijn laarsje,
een bordje haver en daarnaast
aan iedere kant een kaarsje.

Daar kwam de boot uit Spanje aan,
Sint zag de lichtjes branden:
Zeg, Piet, daar moet een huisje staan!
Piet gaf het stuur uit handen.

Een uurtje later aan de wal,
– je weet de deur was open –
is Sint met Piet en paard en al
het huisje ingelopen.

Bij de twee kaarsjes lag een brief:
Ik wacht al zoveel jaren.
Wilt u één keertje alstublieft
ook langs ons huisje varen?

Piet, strooi je zak leeg voor z'n raam
en geef mijn boek eens even.
Met grote letters moet zijn naam
er worden ingeschreven!

Kas greep toen 't dag werd naar zijn bol:
waar de twee kaarsjes stonden
daar lag de vensterbank nu vol.
Sint had zijn huis gevonden!

Simone Schell

Hoe ik ontdekte dat Sinterklaas bestond

Hij woonde namelijk een tijdje vlakbij mij.
Hij zag eruit als een gewone man. Niet helemaal gewoon. Nu ik er weer aan denk: hij had hele speciale ogen, die keken alsof hij alles en alles zomaar meteen van je wist. Wie mij niet gelooft, moet eerst maar eens verder lezen.

De straat waar ik woonde, lag aan de zee. Dat was in de zomer heel feestelijk. In de herfst en de winter daarentegen, kon die zee soms een grote brullende griezel zijn. Omdat wij op een duin woonden, voelde ik mij wel veilig. Maar wat als je in een huis woonde dat achter de duinen lag? Dan kon je op een stormachtige dag eenvoudig worden weggespoeld. Dat had ik niet alleen bedacht, ik wist dat het echt was gebeurd. Op een dag in 1953 was die ontzettende grote plas water opgezwollen en door een verschrikkelijke storm over de duinen geblazen. Zonder enig pardon was het water over de straat gegolfd en naar beneden het land ingestroomd. Denk maar niet dat je in dat soort water met een zwemdiploma nog iets begint. Wie wel eens in de branding heeft gestaan en is omgegooid door zo'n enorme sopgolf, weet precies wat ik bedoel. Je lijkt dan net een slappe pop. Als je geluk hebt, spuugt zo'n golf je terug naar het strand. Maar wat doe je als het water plotseling om je huis heen kolkt? Dat zou ook hebben kunnen gebeuren met de mensen die in de huisjes woonden die achter ons duin lagen. Ik zal het voor je tekenen hoe:

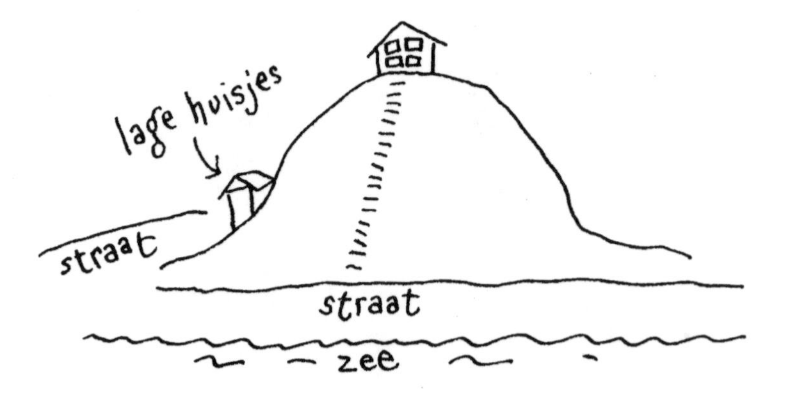

De meeste huisjes waren zomerhuisjes, die in de herfst en winter niet bewoond werden. Dat kon je zien aan de gesloten luiken of aan de ramen die door de zeewind met een laagje zout bestoven waren. Je kon het natuurlijk ook merken omdat er geen kinderen meer waren om mee te spelen.
Ik ontdekte al snel dat in een van de huisjes, dat 'De valk' heette, in die herfst plotseling een meneer woonde. Een meneer die de hele dag achter een tikmachine voor het raam zat. Of bijna altijd.
Als ik langs liep, vroeg ik mij af of hij niet bang was voor het opgezwollen zeewater dat zou *kunnen* komen. Of we geen touw moesten spannen van ons huis naar het zijne. Ik had foto's gezien van mensen die op de daken van hun huizen geklommen waren en met hun armen moesten zwaaien naar helikopters om gered te worden.
Ik dacht overigens niet elke dag aan zulke dingen. Ik dacht er eigenlijk alleen aan als het waaierig weer was en ik langs die meneer zijn huis liep. Op de een of andere manier stak ik zomaar op een keer mijn hand op. Dag meneer.
Dag, deed de meneer terug.
Dan wordt het moeilijk. Wie steekt de volgende keer het eerst zijn hand op? En moet je de volgende keer wel weer je hand opsteken? Nu was ik natuurlijk ook niet gek. Aan praten met vreemde meneren deed ik niet. Laat staan dat ik bij een vreemde meneer zou aanbellen met de vraag of hij niet een touw had dat ik dan aan ons huis zou vastknopen. En aan wie ik dan ook meteen zou vragen wat hij nu eigenlijk tikte op die grote zwarte tikmachine, die je door de ramen heen kon horen.
Ik wilde het op de een of andere manier wel heel erg graag weten. Ik bedacht er iets op. Als mijn moeder nu eens met mij meewandelde, dan kon ik rustig vragen wat de meneer schreef op die tikmachine. Ik moest eerst duizend keer aan mijn moeders hoofd zeuren, maar op een keer deed ze het. Ze ging mee.
Je zal het altijd zien. Juist op die dag zat de meneer er niet.
Ze ging nog een keer voor niets mee. 'Dat huis wordt steeds aan andere mensen verhuurd,' zei ze. 'Die meneer is vast al weer weg.' Ze begreep ook helemaal niet waarom ik zo graag wilde weten wat die meneer tikte op die grote oude zwarte tikmachine. Dat wist ik zelf ook niet precies, maar ik had een gevoel... Een gevoel dat ik niet goed kon uitleggen. Die meneer had met iets spannends te maken,

dacht ik. Omdat het Sint Nicolaas-tijd was, kon het wel eens met Sint Nicolaas te maken hebben. Wie schreef eigenlijk al die Sint Nicolaas-gedichten? Bij ons thuis, waren gedichten altijd met een tikmachine geschreven. Het vreemde was ook dat diegene die ze schreef zo verschrikkelijk veel van je wist.
Dat zwarte Pieten op de schoorsteen zaten af te luisteren, geloofde ik eerlijk gezegd al niet meer. Overdag zag je op een dak nooit of te nimmer zwarte Pieten en juist overdag deed ik die dingen, die in zo'n gedicht stonden. Zo wilde ik om acht uur 's morgens geen priktrui aan en tussen de middag maakte ik ruzie met mijn broertjes.
In de avond, als ze dus wel ongezien bij de schoorsteen konden luisteren, deed ik bij wijze van proef - een tijd voor Sint Nicolaas expres niets vervelends. Mijn moeder was bovendien na half acht ongehoord streng. Als ik niet kon slapen, moest ik gewoon maar blijven liggen en schaapjes gaan tellen of maar aan leuke dingen denken. Naar beneden komen, mocht ik alleen maar met een bijzonder goede reden. Zelfs gedachten over doodgaan vond mijn moeder niet erg genoeg om voor uit bed te komen. In de avond en de nacht, gebeurde er bij ons dus heel weinig.
De dingen die in mijn gedichten stonden, gingen ook helemaal niet over 's avonds, maar over 's morgens gillen bij het borstelen van mijn haar. Of dat ik tussen de middag alleen maar zoet op mijn brood wilde. Wie o wie vertelde mijn stoutheden, maar ook mijn leukheden aan Sint Nicolaas als mijn moeder dat niet deed? Juist van haar mocht niemand klikken. Mijn vader klikte ook niet. Dat wist ik zeker.

Ik had nog meer twijfels. Ik begreep heus wel dat Sint Nicolaas hulp-Sint Nicolazen moest hebben. Je kon als Sint Nicolaas niet alles in je eentje opknappen. Toch, op de boot uit Spanje zag je wel veel zwarte Pieten, maar slechts één Sint Nicolaas. Waar bleven die hulp-Sint Nicolazen dan in de tussentijd? Wie zei dat Sint Nicolaas echt in Spanje woonde? Er waren al veel kennissen van mijn vader en moeder naar Spanje geweest maar nooit nooit nooit had iemand daar veel Sint Nicolazen gezien. De grote vraag bleef wie de gedichten tikte, als al die zwarte Pieten al alle pakjes moesten inpakken?
Dat tikken op zo'n tikmachine, vond ik ondertussen bijna het allerleukste wat een mens kon doen.
Die meneer zat daar zo lekker te hameren en soms naar buiten te

staren en soms te zwaaien naar mij. Met die hele speciale, hoe moet ik het nu zeggen, tja soort van –ik weet alles van jou– ogen.

Het lukte toch nog één keer om mijn moeder mee te sleuren. Echt weer *mijn* moeder. Toen ze zag dat de meneer thuis was, daverde ze naar de bel en verraadde mij in een klap. 'Mijn dochter wil u graag kunnen redden bij een watersnood,' zei ze lacherig. 'Maar ze wil ook zooooooo graag weten wat u schrijft. Ze zeurt mijn hoofd gek.' (Of het zo idioot was dat je iemand wilde redden of wilde weten wat hij schreef.)
Ik schaamde mij verschrikkelijk toen ik ineens in zijn kamer stond en achter de tikmachine mocht gaan zitten terwijl mijn moeder koffie kreeg.
Er zat een bijna leeg vel om de rol heengedraaid. Daarop stond maar één zinnetje dat ik, als ik onder een soort bruggetje over het papier keek, net kon lezen:
Hij dacht aan haar...

'Je mag er rustig op tikken hoor,' zei de meneer die dat van dat redden helemaal niet zo gek vond. Dat touw leek hem ook wel een goed idee. Maar hij vond het vooral heel aardig van mij.
Eerst staarde ik alleen maar naar de tikmachine omdat ik mij nog steeds zat te schamen en zo'n warm hoofd had en plakhanden. Ik kon bovendien nog helemaal niet goed schrijven. Toen de meneer niet meer naar mij keek en met mijn moeder aan het praten was, begon ik zacht op die toetsen te drukken. Ik tikte onder zijn zinnetje (Hij dacht aan haar):
Watschenkthijdaar. (Wat schenkt hij haar)
Als ik tegen een soort zilverkleurig zwengeltje duwde, wipte de regel omhoog en was ik weer aan het begin van een bladzijde.
Eentikmachien (een tikmachine)
datmooiedien. (dat mooie ding)
Omdat ik dat ineens een heel dom zinnetje vond, (want wat was nu helemaal een *dien*?) en ik niet wist hoe ik *dien* in *ding* moest veranderen, glipte ik, terwijl mijn moeder net met een glaasje in haar hand zat, het huis uit. Ik wist trouwens genoeg. Die meneer schreef inderdaad gedichten. Op een vel papier dat naast de machine lag, had ik allemaal korte zinnetjes onder elkaar zien staan. De laatste drie had ik durven lezen:
Maar is het hart dat ik je geef
mijn zoet, mijn lief
mijn Zoet genoeg?
Die zinnen (die ik nooit meer ben vergeten en waarvan ik *mijn Zoet genoeg* een beetje vreemd vond maar daarom juist wel weer leuk) maakten mij duidelijk dat ik behoorlijk goed had gedacht. Deze man, met wie mijn moeder gewoon zat te kletsen, had iets te maken met Sint Nicolaas. Misschien was hij er wel eentje.

'Je krijgt de hele lieve groetjes van de meneer,' zei mijn moeder een paar dagen later. De meneer had het huis alleen maar voor de maand november gehuurd. Voor hij wegging, was hij nog even langs geweest om afscheid te nemen. Ik was er helaas niet.
Ik vertelde mijn moeder, (die er nogal een handje van had te lachen om mijn ontdekkingen), niet wat ik dacht te hebben ontdekt: *Dat dan nu zeker de tijd was aangebroken om Sint Nicolaas-kleren aan te trekken en dat wij dat natuurlijk niet mochten weten.*

Ik schreef bij mijn verlanglijstje, waar al de volgende dingen opstonden:
een Mama-zeg-pop
(je had toen nog niet van die echte praatpoppen)
een echte auto voor mijzelf
een zachte borstel
een zak drop
...een tikmachine
Ik stopte mijn verlanglijst voor de zekerheid in de brievenbus van het huisje van de meneer. Wie weet kwam hij in de nacht nog wel eens thuis.

De dagen kroooooopen naar de grote dag. Mijn moeder had al verteld dat Sint Nicolaas niet bij ons aan huis zou komen. Daarvoor had hij het te druk, wist ze heel zeker. Hij verwachtte ons wel bij V & D op de zaterdag ervoor. Dat stond op een briefje dat was getikt op een tikmachine en aan mijn moeder was gestuurd. Ik was diep teleurgesteld. Dat de echte Sint zelf niet kon komen, begreep ik nog. Maar waarom had de Sint die even zo dichtbij ons huis woonde nu weer geen tijd voor zijn oude buren?
Hij was ook al niet bij ons op school gekomen. Dat was heel zeker een andere Sint Nicolaas. Een Sint Nicolaas die bovendien een heel andere jas aan had dan de Sint Nicolaas die ik door de dorpsstraat had zien rijden in een koets.
We moesten bij V & D in een ellenlange rij staan en uren wachten voor we aan de beurt waren.
Gelukkig strooiden zwarte Pieten zooooveel snoep dat je na een tijdje niet eens meer wilde meegraaien. Ik was verschrikkelijk zenuwachtig. Op de een of andere manier hoopte ik zo dat *hij* het zou zijn. Mijn meneer. Dan wist ik niet alleen hoe alles in elkaar stak met die Sint Nicolazen. Dan zou hij *mij* bovendien heel erg goed kennen.
Eindelijk eindelijk stond ik voor hem. Maar nu was er weer iets moeilijks want ik was ineens zo verlegen dat ik alleen maar naar zijn handschoen durfde te kijken. Om zijn pink zat een enorme grote ring met een rode steen erop. 'Je krijgt van mij iets heel moois,' hoorde ik een lieve stem ergens tussen die snor en die baard brommen. 'Iets wat je heeeeel graag wilt.'
Toen ik eindelijk naar zijn ogen keek, wist ik ineens niet meer of dat

wel zijn ogen waren. Daarvoor zaten ze te verstopt onder de wenkbrauwen.
'Een tikmachine?' vroeg ik nog snel even. Maar toen had ik plotseling het gevoel dat hij helemaal niet wist wat ik bedoelde en dat hij helemaal niet wist wie ik was. 'Dag meisje,' zei hij.
Die avond lag er een slappe pop in mijn bed. Die slappe pop was ik. Het ging allemaal niet eens meer zo om die tikmachine, maar om gevoelens waaraan ik geen touw kon vastknopen. Als ik heel eerlijk ben, dan vond ik even aan dat hele Sint Nicolaas-gedoe geen donder meer.
Het naarste vond ik dat je eigenlijk niemand meer kon geloven.

Wie op Sinterklaasavond de trappen beklom naar ons huis om een wasmand vol pakjes te brengen en ineens keihard aan te bellen, is geen raadsel. Dat deden nu eenmaal zwarte Pieten. Maar wie het even later lukte om met een heel zwaar pak geruisloos langs onze ramen te sluipen, waarachter mijn broertjes zaten te joelen, dat kan maar één Sint Nicolaas zijn geweest. Op dat hele grote pak dat in zijn eentje voor de deur stond, zat een papier met mijn naam erop. Het pak was zo zwaar dat mijn vader het moest optillen en naar binnen dragen.
Toen ik aan de beurt was om mijn gedicht voor te lezen, moest ik (stom maar waar) huilen. Daarom las mijn moeder het voor. Waarschijnlijk is daardoor het gedicht in de zee van papiertjes, die altijd meteen door mijn vader werden verfrommeld en opgeruimd, spoorloos verdwenen.
Ik weet alleen nog maar ongeveer wat erin stond: dat ik een heel zoet meisje was met bruine ogen. (Kijkers). Dat de gedachte om een touw aan mijn hoge huis vast te knopen, zo goed was, dat we maar moesten doen of dat reddingstouwtje tussen ons er werkelijk was en er altijd zou zijn. Al was het voor anderen een onzichtbaar touw. (*Een koord om van te dromen. Met belletjes misschien. En als ik dan zacht rinkel... dan zie ik je misschien.* Zoiets.) Dat hij hoopte dat ik later heel veel verhalen en gedichten zou schrijven op *dit mooie dien* (!).
Ik weet nog als de dag van gisteren dat eronder geschreven was: Sint, 1955.
Is er nu nog iemand die mij niet gelooft?

Van Simone Schell zijn de volgende boeken verkrijgbaar:

Marie Pouceline of de Nicht van de Generaal
Een zeer geheime reiskist
De kinderen Joesoepof

Mieke van Hooft

Versje

Roza heeft een heel bijzonder boekje gekregen. Het is een poëziealbum. Een heleboel mensen hebben er een versje in geschreven, speciaal voor Roza: papa Hans en mama Mira. Oma. Cis en haar moeder. Tante Nel, juf Julia. En nu wil Roza heel graag dat zwarte Piet een versje voor haar schrijft. Daarom legt ze vanavond haar poëziealbum naast haar schoen.
'Zou je dat nu wel doen?' vraagt mama. 'Zwarte Piet heeft het toch al zo druk met cadeautjes rondbrengen... Hij heeft vast geen tijd om een versje voor jou te schrijven.'
'Toch probeer ik het,' zegt Roza. 'Niet geprobeerd is altijd mis.'
Dat zegt papa ook altijd.
Roza zet haar schoen op de mat bij de deur. Ze stopt er een wortel in en een tekening. Het poëziealbum legt ze ernaast. 'Ik denk dat Piet het wel doet!' Ze knikt met haar hoofd.
Mama haalt haar schouders op. 'Reken er maar niet op, Roza,' zegt ze. 'Wacht maar gewoon af.'
Als Roza in bed ligt, moet ze steeds aan het album denken. Zal Piet het doen? Ze krijgt een beetje pijn in haar buik. Piet móet het doen! Ze wil het zo graag!

Als Roza wakker wordt, is het donker. Ze luistert. Ze hoort niets. Het is nacht. Ze draait zich om en slaapt alweer bijna verder. Maar dan denkt ze aan het poëziealbum. Zou zwarte Piet al een versje voor haar hebben geschreven?
Ineens vindt ze het zó spannend! Hij is vast al geweest. Ze vóelt het gewoon, van binnen.
Zonder geluid te maken, komt ze haar bed uit. Heel zachtjes loopt ze naar het gangetje waar haar schoen op de deurmat staat. Wat is het donker! Ze ziet echt helemaal niets!
Haar hand gaat zoekend langs de muur en vindt het knopje van het licht. Ze drukt het snel in. Och... jammer! De wortel en de tekening zitten nog in de schoen. Ze pakt het album en doet het open. De bladzijde waar Piet moet schrijven is nog leeg.

Ze wil het album terugleggen op de deurmat. Maar dan bedenkt ze wat: Piet komt natuurlijk zó. Ze kan wel even op hem wachten. Dan kan ze zèlf vragen of hij een versje voor haar wil schrijven! Ja! Dat is een goed idee!
Het is koud in het gangetje. Daarom pakt ze haar jas van de kapstok en trekt die aan. Ze gaat op de grond zitten. Met haar rug tegen de muur wacht ze op Piet.
Hoort ze al wat? Nee. Mama heeft gelijk: Piet heeft het natuurlijk heel erg druk!
Brrr... Zelfs met haar jas aan heeft ze het koud.
Roza begint zachtjes te zingen: 'Piet, Piet, schiet op! Piet, Piet, schiet op!'
Nu hoort ze toch echt wat. Ze gaat rechtop zitten. 'Piet?' fluistert ze. Maar het is Piet niet.
Slim en Sloom, de poezen van Roza, zijn wakker geworden. Met nieuwsgierige oogjes kijken ze om de hoek van de keukendeur.
'Kom maar,' lokt Roza. 'Poes, poes... kóm!'
Met snelle voetjes komen ze dichterbij.
Slim kruipt bij Roza op schoot.
Sloom gaat op haar voeten liggen.
Tevreden beginnen ze te spinnen.

Lekker warm, denkt Roza. Ze aait de twee spinnende kacheltjes over hun rug. 'Moet je opletten,' zegt ze zacht. 'Nu duurt het niet lang meer. Zwarte Piet komt zo!'

'Moet je nou eens kijken!' klinkt een stem.
Roza opent haar ogen op een kier. Mama staat voor haar.
'Zwarte Piet?' mompelt Roza.
Het is licht.
'Waarom ben jij niet in bed?' vraagt mama. 'Wat doe jij hier? En waarom heb jij je jas aan?'
Slim en Sloom worden ook wakker. Ze rekken zich uit en geeuwen met hun bekjes wijdopen. Als Roza opstaat, springen ze achter elkaar aan naar de keuken.
'Waar is mijn poëziealbum?' vraagt Roza. Ze ziet het liggen naast haar schoen. De wortel en de tekening zijn weg. In de schoen zit een chocoladeletter met een strikje erom. Roza stampt met haar voet op de grond. 'Nou heb ik zwarte Piet nog niet gezien!' roept ze. 'En ik had hem nog wel om een versje willen vragen!'
Ze moet ervan huilen!
Mama aait haar door haar haren. 'Arme Roza. Waarom ben je nou zo verdrietig? Weet je zeker dat Piet niet in je album heeft geschreven?'
Roza veegt met de mouw van haar jas over haar tranen. Ze raapt het poëziealbum op en doet het open.

Roza,
Wees nooit boza.
Wees steeds blij.
De groeten van mij.

Zwarte Piet

Roza's gezicht wordt helemaal warm.
'Sla eens om,' zegt mama. 'Op de andere bladzijde staat geloof ik ook wat.'

Olé, olé, ik ben een Spaanse Piet,
dichten kan ik niet.
Een letter in je schoen,
en van mij een dikke zoen!

De groeten van Piet Pedro

Roza slaat een hand voor haar mond en kijkt naar mama's lachende gezicht. Nu heeft ze twéé versjes, van twéé Pieten. Nog meer dan ze hoopte! Wat een bofferd is ze!

Van Mieke van Hooft zijn onder andere de volgende boeken verkrijgbaar:

Dag baby
Allemaal naar de speelzaal
Sebastiaan rare banaan
Sebastiaan blauwe billen
Piratenfeest
Het doorgezaagde meisje
Weg met de meester
De tasjesdief
Nachtlopers
Kinderen ontvoerd
Treiterkoppen
Straatkatten

Anne Takens

Samen op het paard

Het is zaterdagmiddag. Roelie en Menno zijn helemaal door het dolle heen, want straks gaan ze naar de intocht van Sinterklaas kijken! De Sint komt met zijn stoomboot uit Spanje varen en om twee uur precies meert hij af bij de Rijnkade.
'Pap, gaan we nou?' vraagt Menno ongeduldig.
'Ja! We moeten opschieten!' roept Roelie zenuwachtig. 'Want als we te laat zijn, dan staan er wel honderdduizendmiljoen kinderen voor onze neus en kunnen we niks zien!'
Papa kijkt op de klok. 'Ja, het is tijd,' zegt hij. 'Ga maar in de auto zitten. Wij komen zo.'
Menno en Roelie trekken vlug hun jacks aan en rennen de deur uit. Vlug kruipen ze op de achterbank van de auto, dicht naast elkaar.
'Lekker spannend is het,' zucht Menno. 'Het spannendste vind ik altijd als de zwarte Pieten snoep uitdelen. Ik wil heel veel snoep! En op mijn verlanglijstje zet ik ook snoep. Ik vraag een hele berg aan de Sint. Een berg zo groot als de lucht!'
Roelie lacht. Gek jochie, denkt ze, ik vraag iets anders aan de Sint. Iets héél anders...
Onderweg naar de Rijnkade kijkt ze stil uit het autoraam. Ze denkt aan haar droom... Vannacht droomde ze over Sinterklaas. Hij stond naast haar bed en zijn schimmel was er ook. Het paard rook lekker, naar hooi en pepernoten, en hij snuffelde aan haar wang, net of hij haar een kusje wilde geven. Sinterklaas glimlachte naar haar, alsof hij alles van haar wist en opeens gebeurde er iets heel leuks... Als Roelie eraan denkt, begint ze te lachen.
'Waarom lach jij?' vraagt Menno nieuwsgierig.
'Om niks,' zegt Roelie. Ze wil het niet vertellen. Het is een geheim. Het geheim staat ook op haar verlanglijstje. Roelie heeft het bij zich. Het zit in de zak van haar jack.
Straks geef ik het aan de Sint... denkt ze.

Op de Rijnkade is het feest. Tussen de lantarenpalen hangen slingers en ballonnen en bij de aanlegsteiger speelt een muziekkorps

het ene Sinterklaasliedje na het andere. De kade staat stampvol vaders, moeders en kinderen. Ze zwaaien met vlaggetjes en zingen mee met de muziek.
'Oh! Wat een massa mensen!' moppert Menno. 'We zijn veel te laat van huis gegaan en nou kunnen we straks de Sint en de Pieten helemaal niet zien! Pap, mag ik op je rug?'
'Ik weet iets!' roept Roelie. 'We piepen gewoon tussen al die mensen door en dan staan we lekker toch vooraan!'
Papa begint te lachen en met een geheimzinnig gezicht zegt hij: 'Jongens, mama en ik hebben een verrassing voor jullie. Wij weten een plekje waar jullie de Sint prima kunnen zien. Kom!'
Papa en mama lopen achter de mensen langs en Menno en Roelie huppelen nieuwsgierig mee. Ze gaan een trap af en komen bij het water, aan het eind van de kade. Ineens geeft Menno een gil:
'Ik zie Tuffie!'
'Ja! Tuffie!!' juicht Roelie.
Tuffie is een sleepboot. Elke dag sleept hij schepen over de rivier. Schepen die de weg niet meer weten of die een kapotte motor hebben. Vandaag hoeft Tuffie niet te werken. Lui ligt hij te deinen op de golven. Tegen de reling leunen twee mannen met schipperspetten op.
Het zijn oom Hans en oom Henk. Oom Hans is de kapitein en oom Henk is de stuurman.
'Ik weet al wat de verrassing is!' zegt Menno blij. 'Het is dat we op Tuffie naar de Sint mogen kijken!' En dan rent hij achter zijn zus aan de loopplank op. Oom Hans en oom Henk vinden het leuk dat ze er zijn. 'Kruip maar vlug in de roef!' zeggen ze. 'De Sint is al in aantocht!'
De roef is een kamertje onder in de sleepboot. Het is er warm en gezellig. Aan de muur hangt een schilderij met draken en zeemonsters erop en aan het plafond bungelt een olielamp.
Roelie en Menno duiken direct op de bank onder het raam en drukken hun neus tegen de ruit. Langs de boeg van de sleepboot stroomt de rivier voorbij. Van alles neemt het water mee op zijn rug: een stuk wrakhout van een schip dat lang geleden is vergaan op zee, een halfopgegeten appel, een witte eend met een oranje snavel en een briefje met zwarte letters erop. Vast een verlanglijstje van een kind, dat is weggewaaid met de wind.

'Wij hebben hier het beste plekje van de wereld,' zegt Menno tevreden en ineens schreeuwt hij:
'Ik zie rook! Daar! Bij de brug!'
'Joepie! De boot van de Sint komt eraan!' roept Roelie.
De stoomboot van Sint Nicolaas ziet er prachtig uit. Hij is helemaal versierd met rode en gele vlaggetjes. Vier Pieten klimmen in de mast, als aapjes zo snel, en twee andere Pieten doen kunstjes op de voorplecht. Sinterklaas staat bij de reling. Zijn mantel waait op in de wind.
Oom Henk schuift het raam open, zodat Menno en Roelie alles nog beter kunnen zien.
'Sinterklaas! Wij zijn hier! Op Tuffie!' schreeuwt Menno.
De Sint heeft Menno en Roelie in de gaten. Hij zwaait naar hen met zijn grote, witte zakdoek.
Roelie knijpt haar ogen tot spleetjes. Ze tuurt naar de stoomboot. Waar zou het paard zijn? vraagt ze zich af. Ze ziet het nergens... Zou

het soms onderin de boot in een stal staan? Of zou het soms in Spanje zijn gebleven?
Stil zit ze te piekeren, maar opeens schrikt ze op. 'Moet je kijken! De boot van de Sint vaart hartstikke sloom! Hij lijkt wel een slak!' hoort ze Menno roepen.
Ja, wat raar! De stoomboot gaat steeds langzamer varen en na een poos ligt hij helemaal stil, midden op de rivier. Uit de schoorsteen puft nog één klein wolkje rook en dan... niets meer.
'Hup! Doorvaren!' gilt Menno.
Op de kade schreeuwen en joelen de kinderen: 'Sint! Sint! Doorstomen! Je moet hier zijn! Hier! Bij de steiger!'
De muzikanten met hun trommels en trompetten spelen zo mooi ze kunnen: 'Sinterklaasje, kom maar binnen met je knecht, want wij zitten allemaal even recht!'
'Toe... toe...!' blaast de boot, maar hij vaart niet verder.
Oom Hans en oom Henk kijken door hun verrekijker en zeggen tegen elkaar: 'Het lijkt wel of de Sint motorpech heeft!'
'Ja!' roept Menno. 'De motor is vast kapot! Straks zinkt de boot misschien wel en worden alle cadeautjes nat!'
Over het water klinkt de stem van Sinterklaas. Hij heeft een scheepstoeter aan zijn mond. 'Help! Help ons! De motor doet het niet meer!'
'Alle hens aan dek!' roepen oom Hans en oom Henk. 'We gaan de boot van Sinterklaas opslepen! Op naar de stuurhut!'
'Wij willen meehelpen met slepen!' roept Menno. 'Mogen we ook in de stuurhut?'
'Nee, dat kan niet,' zegt mama. 'Er is daar alleen plaats voor de kapitein en de stuurman. Jullie blijven mooi hier.'
Papa schuift het raam dicht en even later begint Tuffie te brommen en te ronken. Met een vaart zet hij koers in de richting van de stoomboot. De golven spatten op tegen de ruit. Het lijkt wel of het regent. Aan het plafond zwaait de olielamp heen en weer...
De kapitein en de stuurman maken kabels vast aan de stoomboot en daarna sleept Tuffie hem over de rivier.
'Toe... toe...!' roept de stoomboot vrolijk en op de kade zingen de grote mensen en de kinderen: 'Wie komt er alle jaren! Weer uit Spanje varen?'

Het muziekkorps begint te spelen als Tuffie en de boot van de Sint afmeren. Zodra Tuffie stil ligt, springen Menno en Roelie op de wal en hollen naar de aanlegsteiger. Daar staat een deftige meneer in een zwart pak met een glimmende ketting op zijn borst. Het is de burgemeester. Die mag altijd op het mooiste plaatsje staan, als de Sint zijn intocht houdt. Maar vandaag staan Menno en Roelie ook op het beste plekje. Pal naast de burgemeester! Ademloos kijken ze naar de zwarte Pieten die behendig de loopplank uitleggen. En dan...
Daar is de Sint! Met voorzichtige pasjes stapt hij de loopplank over. Zwarte Pieten met gele en groene mutsen op dansen voor hem uit. Sinterklaas geeft de burgemeester een hand en wuift naar de vaders en moeders en de kinderen op de kade. Hij roept: 'Ik kom zo! Even geduld!'
Met zijn vriendelijke ogen kijkt de Sint Menno en Roelie aan en met zijn zachte stem zegt hij: 'Ik ken jullie! Ik zag jullie zitten op de sleepboot! Waar is de kapitein? En waar is de stuurman?'
Oom Hans en oom Henk lopen naar de Sint toe. Sinterklaas slaat hen op de schouder en zegt: 'Dag, beste mensen! Jullie hebben mij gered! Zonder jullie hulp was mijn stoomboot nooit aan land gekomen. Wat willen jullie in je schoen?'
'We hoeven niks, hoor Sinterklaas! We hebben alles al!' zegt oom Hans. 'Maar Menno en Roelie willen vast wel iets lekkers of iets leuks!'
'Ja! Ik wil snoep!' roept Menno.
Sinterklaas wenkt een paar zwarte Pieten en ze doen de zakken van Menno's jack boordevol pepernoten, spekkies en schuimpjes.
'En wat wil jij, meiske?' vraagt de Sint.
Roelie haalt haar verlanglijstje te voorschijn. Ze krijgt vuurrode wangen als de Sint het voorleest:

Liefe Sint
Ik wil een paart!
Een paart is mijn liefelinsdier!
Maar het is feel te duur
Mag ik een keer op jou paart?
Ik hoop dat het mag, want ik droomde het fannacht.
Groetjes van Roelie. 7 jaar.

Lachend kijkt de Sint Roelie aan. 'Wil je echt op mijn paard?' vraagt hij.
'Ja...' zegt Roelie. 'Maar... ik zie het paard nergens! Ben je het soms vergeten, Sinterklaas?'
'Nee, hoor,' zegt de Sint. 'Ik ben mijn paard niet vergeten! Ik laat mijn paard nooit alleen, want ik kan het niet missen. Geen dag! Maar onderweg was mijn schimmel een beetje zeeziek! En daarom stond hij niet op het dek. Maar hij is allang weer beter. Hoor maar!'
Op het dek van de stoomboot klinkt vrolijk gehinnik en even later stapt de schimmel de loopplank over. Een zwarte Piet met een paarse muts op houdt de teugels vast.
'Dag paard,' zegt de Sint. 'Er is hier een meisje dat een droom had. Ze droomde over mij en over jou vannacht! Ze wil op je rug! Vind je dat goed?'
Het paard briest en snuift en hinnikt. Ongeduldig schraapt het met zijn hoeven over de keitjes en zijn staart zwaait wild heen en weer.
Roelie schrikt. Ze springt achteruit. Het paard is zo groot! En het doet zo eng!
'Kom Roelie!' zegt de Sint. 'Je mag in het zadel!'
'Nee!' roept Roelie. 'Ik durf niet! Ik durf alleen samen met mijn broer!'
De Sint begint te lachen. Hij kijkt naar Menno. 'Menno, kom jij ook op het paard?'
'Ja, jippie!' schreeuwt Menno. 'Op het paard van Sinterklaas is nog leuker dan snoep!'
De Sint klimt op zijn schimmel en de Piet met de paarse muts tilt eerst Roelie in het zadel en dan Menno. Sinterklaas slaat zijn arm om Roelie heen en Roelie houdt haar broertje vast. Heel stijf! Wat zitten ze hoog! Roelie kijkt naar beneden. Ze ontdekt papa, mama, oom Hans en oom Henk. Ze zwaaien naar hen en mama roept: 'Wat een boffers zijn jullie! Voorzichtig, hoor! Val er niet af!'
'Tuurlijk val ik niet!' roept Menno stoer.
'Ik ook niet!' roept Roelie.
En dan begint de rit! Het paard stapt de kade over. Overal klinkt muziek en overal wapperen vlaggen. De vaders en moeders en de kinderen juichen en lachen en roepen: 'Dag Sinterklaas! Dag kinderen op het paard!'
Menno's muts waait af, maar het kan hem niets schelen. Roelie ver-

liest een want, maar ze merkt het niet eens, want het is feest. Samen met Menno en de Sint op het paard! Dat is nog leuker dan in haar droom...

Van Anne Takens zijn de volgende boeken verkrijgbaar:

Een paard langs de zee
Een vogel achterna
Twee dierenvriendjes
Een eend op de thee
Grijsje Eigenwijsje

Bobje Goudsmit

De val

'Lieve Sinterklaas,' schreef de Kerstman half november in een brief, 'ik heb inmiddels al zoveel van je gehoord, maar ik heb je nog steeds niet ontmoet. Waarom kom je niet bij mij logeren? Dan kunnen we elkaar eens wat beter leren kennen.'
'Als ik u was, zou ik niet gaan, hoor baas,' zei de hoofdpiet bezorgd, 'ik vertrouw die man voor geen half speculaasje. Hij heeft nog nooit contact met u gezocht en dan doet hij nu opeens zo aardig tegen u? Dat is verdacht. Zelfs heel verdacht! Er steekt vast iets achter.'
Ook de schimmel raadde het Sinterklaas af. Maar dat was meer uit eigenbelang, want hij had eigenlijk geen zin om mee te gaan. 'Laat mij maar thuis,' zeurde hij, 'ik slaap veel liever in mijn eigen stro. En ik weet zeker dat ik niet met zijn rendier kan opschieten. Die heeft het vast hoog in de bol, met dat gewei van hem.'
Maar wat ze ook zeiden, de Sint luisterde niet naar hen. Hij schreef de Kerstman terug dat hij graag zijn uitnodiging aannam. In een p.s. voegde hij eraan toe dat hij alleen niet te lang kon blijven, omdat hij op tijd voor zijn verjaardag terug wilde zijn. De eerste verlanglijstjes begonnen namelijk al binnen te stromen.

Nauwelijks had de Kerstman zijn p.s. gelezen, of hij verschoot van kleur en kauwde verbeten op zijn baardje.
'De schijn-heiligerd,' mompelde hij jaloers, 'met dat misselijkmakende altijd-aan-anderen-denken van hem... Ja, ja, maar ondertussen! Ik heb hem wel door. Hem en al die rottige popi-pietjes van hem erbij! Ze willen gewoon populair blijven bij al die kleine monsters. Vandaar dat gluiperige omkoopgedoe met cadeautjes en snoepgoed. Walgelijk!'
Hij riep zijn rendier bij zich en beval hem om de lijst met de laatste waarderingscijfers van november te halen.

'Hoe is mijn populariteit tegenwoordig?' informeerde de Kerstman. Het rendier las met trillende stem voor dat hij zoals altijd in Amerika weer hoog bovenaan genoteerd stond. Dat zijn voorsprong op Mi-

chael Jackson dit jaar zelfs sterk toegenomen was.
De Kerstman wreef tevreden in zijn handen. 'Zijn eigen schuld. Dat krijg je ervan als je net zo'n kindervriend probeert te zijn als die schijn-heiligerd. En Canada? Hoe scoor ik in Canada?'
Zenuwachtig bladerde het rendier in zijn papieren. 'Ook daar doet u het fantastisch goed. Echt fan-tas-tisch goed! Onbetwist nummer één.'
De Kerstman grijnsde voldaan. 'En Nederland? Hoe sta ik ervoor in Nederland? Ben ik daar al wat populairder geworden?'
Op slag werd de neus van het rendier rood. 'Eh...' stotterde het, 'eh... neemt u me niet kwalijk, maar ik heb mijn bril niet bij me. Ik kan geloof ik niet goed lezen wat hier staat. Kleine lettertjes en zo, ziet u.' Ongeduldig trok de Kerstman het vel uit zijn hoeven en een moment werd het doodstil. Toen zei hij met verstikte stem: 'Als ik het niet dacht: nog steeds ver onder dat miezerige mannetje-met-die-rooie-mantel. Daar zullen we dus wat aan moeten doen. Vooruit, knol, maak je stal alvast maar in orde. We krijgen logés. Er is werk voor ons aan de winkel.'

Aanvankelijk was de logeerpartij een groot succes. De Kerstman sloofde zich uit om het zijn gasten naar de zin te maken. Elke avond vond Sinterklaas bij het slapen gaan een verse kerstroos op zijn hoofdkussen. Het kleine gebaar ontroerde hem. 'Wat een vriendelijke, attente man is die Kerstman,' merkte hij tegen zijn hoofdpiet op. Maar die schudde ongerust zijn hoofd: 'Pas maar op voor hem, baas. Hij kan zo vals naar u loeren, als u het niet in de gaten heeft.'
De Sint weigerde hem te geloven. De Kerstman lette natuurlijk op hem, dacht hij, omdat hij een goede gastheer wilde zijn.
En ook de schimmel vond het boven verwachting gezellig in de stal. Het rendier bleek achteraf reuze mee te vallen. Het had hem meteen zijn borstel geleend, toen hij de zijne was vergeten.
'Vind je dat nou niet aardig van hem?' zei de schimmel tegen de hoofdpiet. 'Hij heeft me zelfs aangeboden op de plekjes waar ik niet goed bijkan, eens extra te roskammen.'
Maar de hoofdpiet trok een bedenkelijk gezicht: 'Aardig doen is iets anders dan aardig zijn. Wat ken je hem eigenlijk? Misschien deugt-ie wel niet.'
De schimmel moest daar hartelijk om lachen. Hoe kwam de hoofd-

piet nou op dat domme idee? Het rendier was juist zo zorgzaam, zo gastvrij: het schoof hem de lekkerste hapjes hooi toe en liet hem als eerste uit zijn waterbak slobberen. Nee hoor, de hoofdpiet zag beslist overal zwarte pepernoten liggen.

En alles verliep voorspoedig, tot opeens het weer omsloeg en het begon te sneeuwen. Vanaf dat moment veranderde de stemming in huis. Er hing een vreemde spanning in de lucht. Rusteloos liep de Kerstman heen en weer en staarde met ogen die vlamden van venijn en verlangen naar de dwarrelende sneeuwvlokken buiten. 'Nog even volhouden,' hoorde Sinterklaas hem plotseling in zichzelf mompelen, 'het duurt nu heus niet lang meer.'
Toen er na twee dagen een flink pak sneeuw lag, kondigde de Kerstman aan dat ze allemaal gingen skiën. Ze hadden nu lang genoeg binnen gezeten, zei hij. Het zou hun goed doen om even de benen te strekken.
'Ik heb het nog nooit gedaan,' fluisterde de schimmel benauwd tegen het rendier, 'is het erg moeilijk?' Maar het rendier wendde zwijgend zijn gewei af.

Na zesentwintig keer vallen en opstaan gaf de schimmel zijn pogingen op en besloot dat skiën niets voor hem was. 'Ik wil naar huis,' jengelde hij, 'ik heb koude hoeven gekregen en er hangen ijsklontjes aan mijn staart.' Ook de hoofdpiet zei dat hij geen zin meer had. Maar de Sint wilde niet van ophouden weten. Hij sjeesde met beginnersvaart de helling af en riep over zijn schouder dat hij nog even doorging: 'Gaan jullie anders alvast maar vooruit. Ik kom zo.'
'Doet u wel voorzichtig, baas?' waarschuwde de hoofdpiet nog, vlak voordat ze vertrokken.
Verheugd knikten de Kerstman en het rendier elkaar stiekem toe. Het ging de goede kant op.
'Zal ik u weer aan mijn gewei naar boven trekken, Sinterklaas?' vroeg het rendier onderdanig. 'U bent een echt natuurtalent. Wilt u misschien ook eens een hogere berg proberen?'
Met moeite onderdrukte de Kerstman een grijns, toen de Sint enthousiast instemde. Het kon niet beter!
Ze togen met zijn drieën naar boven en even later hadden ze de top van de berg bereikt. 'Hè hè, is me dat een klim,' hijgde het rendier,

'ik moet even weer een beetje op adem komen, hoor.'
'Laten we hier een paar minuten uitrusten,' stelde de Kerstman haastig voor. 'Sinterklaas, als u iets dichter bij het randje gaat staan, kunt u nog meer van het uitzicht genieten. Zal ik uw hand vasthouden?'

Toen na drie dagen de zoekacties gestaakt werden, stuurde de hoofdpiet een allertreurigst telegram naar Nederland: 'Sint verdwenen. Vermoedelijk gestort in ravijn. Verjaardag afgelast.'
Vanaf dat moment was het land gedompeld in nationale rouw. In een recordtempo gingen de speculaas- en pepernotenfabrieken over de kop en alle marsepein werd uit de handel genomen. Regelmatig zond de televisie het laatste interview met de Kerstman uit. Op ernstige toon vertelde hij telkens opnieuw voor de camera, hoe het ongeluk precies gebeurd was: 'Sinterklaas wilde per se de hoogste

berg afskiën die er was. Mijn rendier en ik raadden het hem af, maar hij luisterde niet. Zelfs toen hij bovenaan stond, zeiden we nog dat het te gevaarlijk was. Dat hij nog niet kon remmen. Maar hij lachte ons uit. Ja, echt, *hij lachte ons uit*! Dat is het laatste wat we van hem gezien hebben.'
Met een snik in zijn stem eindigde hij: 'We missen hem. Hij was een echte kindervriend. Net als ik.'
Vooral die laatste opmerking deed het goed. Hij had lang voor de spiegel moeten oefenen om er het juiste effect bij te krijgen, maar het was de moeite waard geweest. Aan zijn waarderingscijfers kon hij zien dat hij na elke uitzending steeds populairder begon te worden. De speelgoedfabrikanten gingen al reikhalzend naar zijn verjaardag uitkijken en de eerste, voorzichtige krantenkoppen meldden: 'Kerstman in plaats van Sint?'
Het is me gelukt, dacht de Kerstman handenwrijvend. Nederland, ik kom eraan!
Maar hij juichte te vroeg.

Drie weken na het ongeluk was hoog in de lucht plotseling een stipje te zien. Een klein, rood stipje, dat met grote snelheid steeds dichterbij kwam. Niemand wist wat het was. De telefoonlijn van het KNMI stond roodgloeiend van de vragen. Bij de politie kwamen meldingen binnen van ruimteschepen. Een bejaarde man beweerde zelfs voor de radio dat hij aan boord was geweest en had meegevlogen, maar zijn verhaal bleek achteraf verzonnen te zijn.
Al gauw kwam men achter de oplossing van het raadsel.
De mensen renden hun huizen uit en wezen ongelovig naar boven. Hoe kon dat nou? Was er een wonder gebeurd? Voor hun ogen zweefde Sinterklaas als een luchtballon voorbij. De wind bolde zijn onderrokken alle kanten op en de slippen van zijn mantel wapperden als vleugels achter hem aan. Met zijn ene hand hield de Sint stevig zijn mijter vast, met zijn andere wuifde hij naar de menigte onder hem. De kinderen dansten en juichten. 'Sinterklaas!' riepen ze stralend en zwaaiden naar hem. 'Kijk eens, het is Sinterklaas! Hij is terug!'

De camera's begonnen te zoemen.
'Wat gebeurde er nou precies, Sinterklaas?' informeerde de televi-

siereporter. 'U stond bovenaan die berg en u keek naar beneden. En toen?'
De Sint dacht lange tijd na over deze vraag. 'Ik wilde naar beneden skiën,' zei hij tenslotte, 'en toen gleed ik uit. Dat was alles.'
'U bent geruime tijd zoek geweest en iedereen dacht dat u dood was en u zegt langs uw neus weg: "Dat was alles?"'
Sinterklaas knikte glimlachend. 'Inderdaad. Ik viel de diepte in en de wind blies onder mijn rokken en liet ze opbollen. En toen zweefde ik helemaal opgeblazen naar Nederland. Het was een mooie reis. Alleen jammer dat ik mijn ski's boven de Rijn heb moeten uitschoppen. Ze hielden teveel mijn snelheid tegen, ziet u.'
'Hmmm.' De reporter bladerde even in zijn aantekeningen. 'Er gaan trouwens geruchten dat de Kerstman speciaal voor u deze val opgezet heeft. Die berg was veel te steil voor een beginner als u en toch nam hij u daar mee naartoe. Hoopte hij misschien dat u zou vallen?'
Half Nederland hield nieuwsgierig zijn adem in. Zou er een beschuldigend antwoord komen? Maar de Sint zweeg.
De televisiereporter boog zich vertrouwelijk naar zijn gast over: 'Boze tongen beweren zelfs dat hij jaloers op u is en u daarom expres over de rand *geduwd* heeft.'
Op de publiekstribune knikte de hoofpiet heftig ja. Niemand zag het, want net op dat moment zoomde de camera op de Sint in. Men verheugde zich al op de krantenkoppen de volgende dag: 'Rel tussen Sinterklaas en Kerstman: Sint noemt Kerstman moordenaar...'
Maar tot ieders teleurstelling klemde Sinterklaas zijn lippen op elkaar en weigerde verder elk commentaar.
'Binnenkort nodig ik de Kerstman bij mij in Spanje uit,' was het enige wat hij nog kwijtwilde aan het einde van het interview, 'en dan ga ik hem net zo gastvrij onthalen als hij het mij gedaan heeft. Wat denkt u: zal hij het leuk vinden om eens aan een stierengevecht mee te doen?'

Van Bobje Goudsmit zijn de volgende boeken verkrijgbaar.

Shoe Sjanah en de Spinnevrouw
Skeelers

Leslie komt uit Suriname
Als ze roepen ‘zwarte Piet’
Antwoordt hij: Ik heb twee namen
Leslie Graanoogst, anders niet

‘Zwarte Leslie’ kun je ’m noemen
Want zo bruin dat is hij wel
Maar heel anders dan bij Pieten
Heeft mijn vriend een stevig vel

Als je zwarte Piet geaaid hebt
Weet je: één ding is heel maf
En heel anders dan bij Leslie
Zwarte Pieten geven af!

Valentine Kalwij

Marcel Westervoorde

Zou de goede Sint wel komen...

Klaas is een jongetje waar pit in zit. Dat zegt zijn vader, tenminste. En daar bedoelt hij mee dat je met Klaas veel kan beleven.
Klaas heeft altijd nieuwe ideeën. Dat weet inmiddels iedereen in het kleine dorp, waar hij woont. Soms zijn het goede ideeën, soms niet. Maar als er ergens wat raars gebeurt, roepen de mensen altijd: Klaas weer!
En dat vindt Klaas niet eerlijk. Hij heeft misschien wel eens per ongeluk wat kapotgemaakt of iemand laten schrikken, maar hij bedoelt het altijd goed. Hij wil gewoon de mensen helpen of laten lachen. Hij kan er toch ook niets aan doen dat het niet altijd goed afloopt? Dus blijft Klaas gewoon de mensen helpen, of ze nou willen of niet. Luister maar naar het volgende verhaal.

Klaas heeft een vriendje: Piet. Piet is een kogelrond jongetje uit een ander land en ziet er helemaal niet uit als een Piet. Maar hij heeft zo'n moeilijke naam dat Klaas er zijn tong over breekt. Daarom noemt hij zijn bruine vriend Piet. En dat doet nu iedereen in het dorp. Zelfs bij Piet thuis.
Piet en Klaas hoeven vandaag niet naar school. Ze zijn bij Klaas thuis en zitten zich verschrikkelijk te vervelen. Op hun knieën op de bank en met hun hoofd in hun handen, kijken ze naar de donkergroene lucht waar al dagenlang dikke pakken sneeuw uit vallen.
Verder doen ze niets. Alleen maar zuchten.
'Wat is er toch met jullie aan de hand?' vraagt de moeder van Klaas.
Klaas stopt zijn vinger in zijn neus. 'We vervelen ons,' zegt hij met een rare neusklank.
'Waarom gaan jullie niet naar buiten?'
'Tjee mam,' zegt Klaas knorrig. 'Je ziet toch dat het sneeuwt?'
'Nou en? Dan ga je toch sleeën.'
'Hebben we al gedaan.'
'Ga sneeuwballen gooien of baantje glijden.'
'Hebben we al gedaan.'
Nu moet Klaas' moeder diep zuchten.

Dan zwaait de deur open en komt de vader van Klaas binnen. Zijn wangen zijn rood en er hangen druppels smeltende sneeuw in zijn snor. Hij wrijft zijn handen stevig over elkaar en gaat zo dicht mogelijk bij de gloeiend warme gaskachel staan. 'Poeh, koud daarbuiten,' zegt hij. 'Maar al het hout is gehakt, dus laat de winter maar komen. De open haard kan voorlopig weer dag en nacht branden.'
'De winter is er toch al,' merkt Piet op.
'Daar heb je gelijk in jongen, groot gelijk.' Hij knielt naast de jongens op de bank en kijkt zorgelijk naar buiten. 'Het is te hopen dat Sinterklaas erdoor komt dit jaar.'
Klaas kijkt zijn vader verschrikt aan. 'Hoezo? De Sint komt toch altijd?'
'Nou,' zegt vader, 'Kijk eens naar buiten. Het ziet er niet best uit. Nee, het zou wel eens een hele stille vijf december kunnen worden.'
'Maar... maar dat kan toch niet?' zegt Piet ongerust.
Vader pakt Piet bij zijn schouder en zegt ernstig: 'Ik zou er maar niet te zeker van zijn, knul. Je kent het lied toch: *Zou de goede Sint wel komen...?*'
Piet knikt. Natuurlijk kent hij dat.
Klaas springt plotseling op en grijpt Piet bij zijn kraag, die bijna achterover van de bank rolt. Hij sleurt Piet de huiskamer uit, de trap op. Boven op zijn kamer duwt hij hem op bed.
'Wat is er met jou aan de hand?' vraagt Piet geschrokken.
'Je hebt het toch gehoord?' zegt Klaas, 'Sinterklaas komt niet!'
'Misschien niet,' zegt Piet, 'maar misschien ook wel.'
'Nee joh. Je weet toch wat een verschrikkelijke sneeuwstorm er buiten is? Dat redt die ouwe man nooit.'
Piet zwijgt en kijkt een beetje droevig voor zich uit. Geen Sinterklaas... Dat is toch wel heel erg.
'Wij gaan hem helpen,' zegt Klaas vastbesloten. 'Dit jaar brengen wij de pakjes rond.'
'Je bent gek,' zegt Piet. 'Hoe wil je dat doen?'
'Nou, gewoon, eh... gewoon.'
Klaas gaat naast Piet zitten. 'Gewoon,' zegt hij nog een keer. Maar dan kijkt ook Klaas beteuterd.
'Ik weet het niet,' zegt hij sip. 'We hebben natuurlijk niet genoeg geld om cadeautjes voor het hele dorp te kopen. Hoe zou Sinterklaas dat toch doen?'

Ineens vliegt de deur van de slaapkamer open en stormt de zus van Klaas naar binnen. 'Ik heb hem weer,' roept ze opgetogen. Op en neer springend van blijdschap, laat ze een cassettebandje zien. 'Die was ik al een week kwijt. Madonna. Ik ga hem meteen weer draaien.'
'Da's toch al een oud bandje?' zegt Klaas, die niet begrijpt hoe zijn zus zo blij kan zijn met een bandje dat ze al jaren heeft.
'Ja, maar ik was hem toch kwijt? Dan is het net of ie weer nieuw is, snap je?'
Nee, daar begrijpt Klaas niets van. Maar zijn zus rent de kamer alweer uit en even later is het hele huis gevuld met Madonna.
Piet staat op. 'Ik ga naar huis,' zegt hij. 'We gaan zo eten.'
Hij is al bijna bij de trap als Klaas hem terugroept.
'Wacht, Piet, ik heb het.'
Piet steekt z'n hoofd om de hoek van de deur. 'Wat?'
'Ik weet hoe we Sinterklaas gaan helpen,' zegt Klaas opgewonden. 'We gaan van iedereen wat pikken.'
'O ja, goed idee!' roept Piet uit. 'Daar zullen ze blij mee zijn, nou goed?'
'Nee luister nou,' zegt Klaas ongeduldig. 'Daarna geven we alles weer terug.'
'Je bent getikt. Wat heb je daar nou aan?' Piet wil weer weglopen maar Klaas houdt hem tegen.
'Je hoorde m'n zus toch? Je zag toch hoe blij ze was met haar oude bandje? Nou, als iedereen iets kwijt is en het met Sinterklaas weer in de schoorsteen krijgt, wordt het toch een leuke pakjesavond. En het kost niets, snap je?'
Piet is even stil. Dan kijkt hij z'n vriend met glimmende ogen aan. 'Je hebt gelijk. Wat een goed idee! Maar hoe gaan we het doen?'
'Luister goed,' zegt Klaas en hij begint zacht in Piets oor te fluisteren.

Het is een week later. De wereld wordt alsmaar witter en witter. Het lijkt wel of alle sneeuw van de Noordpool besloten heeft naar het dorp van Klaas en Piet te verhuizen. Vlak buiten dat dorp begint een groot bos, waar Klaas en Piet vaak komen.
Daar lopen ze nu, over het bospad, allebei een grote boodschappentas meezeulend. De harde wind jaagt de sneeuwvlokken als koude watjes om hun oren.

Klaas wijst in de verte. 'Daar is de hut al.'
'Gelukkig maar,' hijgt Piet. 'Die tas is loodzwaar.'
'Het is de laatste portie,' zegt Klaas, die ook pijn in zijn armen heeft van het sjouwen.
Bij de hut laat Piet met een diepe zucht zijn tas op de grond zakken en ploft ernaast in de sneeuw. 'Pffff,' blaast hij z'n bruine wangen op. 'Ik hoop dat de Sint volgend jaar wèl komt. Zo'n hele week sjouwen, daar word ik doodmoe van!'
Klaas veegt het zweet van z'n voorhoofd. 'Ik ook,' zegt hij. 'Wat een klus. Maar ik geloof dat we nu van iedereen iets hebben. Van de slager, van de bakker, de groenteboer, van de juf, iedereen.'
Hij duwt de gammele deur van de oude, verlaten boswachterskeet open. Binnen is het donker. Er zitten luiken voor de ramen en er vallen alleen een paar streepjes licht door de spleten in het vermolmde hout. Het is de geheime schuilplaats van Piet en Klaas.
Piet sleurt z'n tas over de drempel en loopt naar een tafel in de hoek, waarop allemaal verschillende dingen liggen. 'Wat een zootje,' zegt hij.
Hij pakt een bril op en vraagt: 'Van wie is deze?'
'Die is van de groenteboer. Die heb ik meegenomen, toen hij even de winkel uit was om appels te pakken.'
'Nou begrijp ik het,' roept Piet uit. 'Mijn moeder vertelde dat meneer Pom haar bananen had willen verkopen.'
'Is dat zo gek?' vraagt Klaas.
'Ja,' lacht Piet. 'Wel als hij het een tros kromme komkommers noemt.'
Ze moeten allebei lachen.
Maar dan ziet Klaas hoe dik de brillenglazen zijn. 'Toch wel zielig,' zegt hij zachtjes. 'Moet je zien: net vergrootglazen. Hij ziet niets zonder z'n bril.'
'Kun je nagaan hoe blij hij is als hij hem weer terug heeft,' zegt Piet vrolijk.
Maar Klaas vindt het niet leuk. 'Ik zal blij zijn als het Sinterklaasavond is geweest en iedereen z'n spullen weer terugheeft,' zegt hij.
Piet haalt z'n schouders op. 'Het was anders je eigen idee.'
'Dat weet ik heus wel,' zegt Klaas een beetje nijdig.
Dan trekt hij een belangrijk gezicht. 'Overmorgen is het zover,' zegt hij plechtig. 'Sinterklaasavond.'

Piet knikt en kijkt omlaag naar zijn zwarte winterjack. 'Moeten we ons eigenlijk nog verkleden? Als Sint en zwarte Piet, bedoel ik?' vraagt hij.
Klaas krabt op zijn hoofd. Daar had hij nog niet aan gedacht.
'Ik denk het wel,' zegt hij. 'Als iemand ons ziet, moeten we natuurlijk wel echt lijken.'
Hij denkt even diep na. 'Ik geloof dat mijn vader nog ergens een lange wattenbaard heeft liggen, van carnaval. En mijn moeder heeft nog wel een rode jurk.'
'Ik heb een grote muts,' zegt Piet. 'Zo'n ronde, met kippenveren.'
'En het goeie kleurtje heb je ook al,' vindt Klaas.
'Dat wel,' zegt Piet, 'maar ik vind het eerlijk gezegd wel een beetje eng allemaal. Jij niet?'
'Nee hoor,' zegt Klaas flink. 'Ik niet.'
Maar nu de grote avond zo dichtbij komt, voelt hij toch wel wat kriebels in zijn buik.
Als het allemaal maar goed afloopt....

Vijf december. Sinterklaasavond. De laag sneeuw op de grond blijft steeds maar groeien.
Piet is er tot aan zijn knieën ingezakt. Hij staat voor hun geheime hut en slaat zijn armen om zich heen om warm te blijven. De vingertoppen van de veel te grote handschoenen van zijn vader wapperen door de lucht als zwarte worstjes.
Waar blijft Klaas nou? vraagt hij zich af. Zeven uur had hij toch gezegd?
Hij kijkt op zijn horloge. Het is al kwart over zeven. Straks gaat alles nog mis.
Dan waait een harde windvlaag zijn muts met kippenveren van zijn hoofd. Scheldend rent hij er achteraan. 'Blijf hier, stomme muts!' roept hij. 'Een muts vliegt niet, ook al heeft ie veren.'
Net als hij hem te pakken krijgt, struikelt hij over een boomwortel die onder de sneeuw verborgen ligt en valt voorover. Zijn bruine gezicht is spierwit van de sneeuw.
Nou is het genoeg, denkt Piet. Ik ga naar huis. Lekker bij de kachel zitten en warme chocolademelk drinken.
'Wat lig jij daar nou te doen?'
Piet heeft Klaas helemaal niet horen aankomen.

'Waar kom jij zo laat van...' Zijn woorden blijven in zijn keel steken. Naast Klaas staat iets wat hij nog nooit heeft gezien. Het is een... een... ja, wat is het eigenlijk? Het lijkt nog het meest op een paard met wielen. 'W...wat is dat?' stottert hij.
'Dat is onze schimmel,' zegt Klaas fier. 'Zelf gemaakt. Mooi hè?'
Piet krabbelt overeind en bewondert het werkstuk. Dat heeft Klaas knap gedaan. Een hoofd, een lijf, een staart en vier benen, allemaal uit kartonnen dozen geknipt en aan elkaar geplakt.
'Mooi,' zegt hij. 'Maar is het niet een beetje vreemd, een paard met "paprika chips" op z'n buik geschreven?'
'Och,' zegt Klaas.
'En heeft een schimmel wel groene benen met bruine letters?'
'Wat zeur je nou?' Klaas wordt kwaad. 'Dat ziet toch niemand in het donker?'
Piet ziet in de dichte sneeuwstorm niet eens de bomen achter de hut staan.
'Dat is zo,' geeft hij toe. 'Maar toch, een paard met wielen...'
'Da's juist handig!' roept Klaas. 'Ik heb de schimmel tegen de oude bakfiets van de bakker getimmerd. Die gebruikt ie toch nooit meer.' Hij wijst in de grote houten bak. 'Kijk, een ladder om op het dak te klimmen. En we kunnen er ook alle pakjes in doen.'
Weer zo'n goed idee...
Klaas springt van het zadel en loopt naar de hut. 'Kom! Inladen en verkleden.'

De weg naar het dorp lijkt ineens veel langer. De volgeladen bakfiets wil bijna niet vooruit in de dikke laag sneeuw. Klaas staat recht op de pedalen en Piet duwt alsof zijn leven ervan afhangt.
Het is een raar stel. Klaas, de hulpsint, in de rode jurk van zijn moeder en met een wattenbaard voor en bruine Piet, met zijn grote ronde muts met kippenveren en zijn handschoenen met wiebelvingers. Piet is al drie keer uitgegleden en zijn jas en broek zijn al net zo wit als de baard van Klaas.
'Je moet er wel wat voor overhebben,' zegt hij bibberend, 'om de mensen blij te maken.'
'Ho maar,' hijgt Klaas even later. 'Hier is het eerste huis.'
Klaas springt van de fiets en samen zetten ze de ladder tegen het lage rieten dak, vlak onder de schoorsteen.

'Ik ga eerst,' zegt Klaas. 'Eens even kijken, hier woont de juf.' Hij pakt een lang dun pak uit de bak. 'Zij krijgt haar aanwijsstok terug.'
'Wat zal ze blij zijn,' zegt Piet.
Klaas klautert de ladder op en begint voorzichtig, met zijn buik in de sneeuw, over het gladde dak naar de schoorsteen te kruipen. Dat gaat lang niet makkelijk in de jurk van zijn moeder. Als hij bijna bij de schoorsteen is, blijft zijn voet steken in de zoom. Met een luide kraak trekt hij een scheur in de jurk waar zijn moeder makkelijk haar hele hoofd in kan steken. Klaas schrikt zo dat hij zomaar naar beneden glijdt en met een bons in de dakgoot terechtkomt.
Piet slaat zijn hand voor zijn mond. Daar heb je het al.
Dit gaat natuurlijk nooit goed. Straks breekt Klaas nog allebei zijn

benen. Maar Klaas is alweer op weg naar de schoorsteen.
Ik hoop maar dat de juf niets gehoord heeft, denkt Klaas.
Piet hoopt hetzelfde, hij kijkt om zich heen maar ziet niets bewegen.
Of toch? Wat is dat daar?
Piet knijpt zijn ogen tot spleetjes. Ziet hij 't goed? Dat lijkt wel... een paard. Een paard met een man erop. Of vergist hij zich? Die rottige sneeuwstorm ook.
Ineens staat Klaas weer naast hem.
'De stok zit in de schoorsteen,' zegt hij.
Piet schrikt. Hij was Klaas helemaal vergeten.
'Wat sta je nou te suffen, man? Help me liever even met de ladder.'
Het volgende huis is dat van groenteboer Pom.
'Nu ga ik,' zegt Piet. 'Jij breekt je nek nog in die jurk.'
Hij stopt de bril van Pom in zijn jaszak en klimt via de ladder naar het hoge dak. Als hij zijn hoofd boven de dakrand uitsteekt slaat de ijskoude wind hem om de oren. Heel hoog op de punt van het dak, ziet hij de schoorsteen.
Als ik dat maar haal, denkt Piet. Hij klemt zijn tanden op elkaar en klimt de dakgoot in.
Heel voorzichtig, stapje voor stapje, klautert hij tegen de gladde dakpannen op. De wind probeert hem steeds te pakken en naar beneden te gooien. Zijn handen zijn zo koud dat hij zich niet meer goed kan vasthouden. Hij is bijna bij de punt van het dak als hij begint te glijden.
Eerst langzaam, maar dan steeds sneller glijdt hij naar beneden.
Piet grijpt wild om zich heen, maar nergens heeft hij houvast. Met een enorme vaart schiet hij over de dakrand. Hij kan nog net de dakgoot grijpen en zijn voeten slaan met een harde klap tegen de muur. De sneeuw, die als een lawine voor hem uit het dak afschuift, valt samen met zijn muts voor de voeten van Klaas. Verbaasd kijkt Klaas omhoog en hij zakt van schrik bijna door zijn knieën. Hoog boven hem, aan één hand, bungelt zijn vriend aan de dakgoot. De wind wappert hem heen en weer als een dikke appel aan een tak. Piet merkt dat zijn vingers weg beginnen weg te glijden.
Nog even en hij zal in de diepte vallen...
Juist op het moment dat hij het niet meer houdt, voelt Piet hoe een grote sterke hand zijn pols stevig vastgrijpt. Als een veertje wordt hij de lucht in getild.

Piet kijkt in een paar lachende ogen midden in een pikzwart gezicht.
'Kijk eens Sinterklaas,' zegt het zwarte gezicht. 'Kijk eens wat ik hier vind.'
'Wel wel, Piet,' klinkt een zware stem. 'Dat lijkt warempel wel een minipiet.'
En dan ziet Piet Sinterklaas. Op zijn schimmel, boven op de nok van het dak. Zijn baard en zijn mantel wapperen in de storm, maar verder lijkt het slechte weer hem niets te doen.
Over de rand van het dak verschijnt het hoofd van een tweede zwarte Piet.
'Hier heb ik nog iets,' lacht nummer twee en alsof het niets is, tilt hij Klaas in de dakgoot en springt er zelf naast.
'En een minisint,' zegt Sinterklaas. 'Zeg, Pieten, hebben jullie nog meer van die verrassingen?'
'Nee Sint,' zegt de zwarte Piet, 'alleen nog een schimmel op wielen, verder niets.'
De Sint glimlacht. Vanaf zijn hoge plaats kijkt hij neer op de twee verkleumde mannetjes.
'Zo,' zegt hij. 'Dus jullie dachten dat Sinterklaas niet zou komen?'
Piet en Klaas zijn stomverbaasd. Hoe weet de Sint dat?
'Sinterklaas weet alles,' zegt de Sint, die zelfs hun gedachten kan raden.
Met een grote boog springt de schimmel van de nok van het dak in de dakgoot. Sinterklaas buigt zich vanuit het zadel tot vlak voor de jongens.
'Is dat nou wel zo netjes,' vraagt hij streng, 'de mensen iets geven wat ze allang hebben? Een sigaar uit eigen doos, noemen wij dat.'
'Het was geen sigaar, Sinterklaas,' zegt Klaas. 'En we dachten dat u niet zou komen en...'
Sinterklaas begint te lachen. Een harde, zeg maar gerust donderende lach, rolt als een vrolijk onweer over de daken van het kleine dorp. Wanneer de Sint is uitgelachen, veegt hij met zijn witte handschoen een traan van zijn wang en kijkt de jongens met pretoogjes aan.
'Sinterklaas niet komen? Ik niet komen?' De Sint zwaait zijn arm rond en roept: 'Kijk maar eens om je heen!'
Nu pas zien Piet en Klaas dat het om hun heen een drukte van jewelste is. Overal zijn Pieten. Ze springen van dakgoot naar dakgoot

en rennen door de straten. Ze lachen, dansen en buitelen over elkaar heen. Mooi gekleurde pakjes vliegen door de lucht en worden keurig opgevangen. De Pieten weten precies welk pakje bij welk huis hoort.
'Sinterklaas komt altijd,' zegt de Sint. 'Grote mensen zijn soms dom, maar kinderen horen dat te weten.'
Peinzend strijkt hij met zijn hand door zijn lange witte baard. 'Hmmm, nu jullie toch zo mooi verkleed zijn...'
Sinterklaas wenkt een zwarte Piet. 'Zeg Piet, met al die drukte kunnen je wel wat hulp gebruiken lijkt mij.'
'Zeker Sinterklaas, zeker,' roept zwarte Piet. 'En dan brengen we gelijk de tweedehands cadeautjes van deze hulpsint en hulppiet rond.'
Piet en Klaas kijken elkaar aan. De echte Sint helpen. Wie had dat ooit gedacht?
Klaas geeft een schreeuw van blijdschap en Piet springt van de zenuwen zo wild op en neer dat hij bijna weer van het dak kukelt. Zwarte Piet kan hem nog net grijpen.
'Doen jullie maar het grondwerk,' lacht hij. 'Dat lijkt mij veiliger.'
Voor Piet en Klaas breekt nu de mooiste avond van hun leven aan. Ze mogen vanaf de grond de pakjes aangeven aan de Pieten, die ze vliegensvlug rondbrengen naar alle kinderen en grote mensen van het dorp. Overal wordt op deuren gebonsd en over de daken gerend en niet één Piet valt eraf.
Piet en Klaas doen verschrikkelijk hun best. Sinterklaas heeft nog nooit zulke goede helpers gehad.
En één ding kun je geloven: deze vijf december zullen ze nooit meer vergeten.
Trouwens, het hele dorp niet.
Er zal nog lang worden gepraat over de avond dat alle mensen in het dorp van Sinterklaas een 'sigaar uit eigen doos' kregen.

Van Marcel Westervoorde is verkrijgbaar:

Frits, het vieze varkentje

Leny van Grootel

Het laatste pakje

Het was koud en donker. Twee Pietjes van Sint Nicolaas liepen te rillen in hun rode pofbroeken en hun groene manteltjes. En hun tanden deden van klipperdeklap. Ze hadden net de hele flattenwijk gedaan, flats van wel zeven verdiepingen hoog. O, wat waaide het daarboven tussen die schoorstenen. Het had maar een haartje gescheeld of ze waren woeps, zó over de rand naar beneden geblazen. Maar nu stonden ze gelukkig weer veilig met twee voeten op de grond.
'Olé,' zuchtte Pico, 'we zijn eindelijk klaar. Kom mee, Palino! Over een kwartier liggen we lekker in ons bedje te dromen!'
'Was dat maar waar!' riep Palino. 'We moeten nog verder. Ik heb nog een pakje in mijn zak!'
'Potjefodorio,' mopperde Pico, 'als we maar weer niet zo'n flat op moeten. Mijn ringen vriezen van mijn oren!'
'Pak het boekje er maar even bij,' bromde Palino, 'dan weten we het meteen.'
Bij het licht van een lantaren sloegen ze de laatste bladzijde van een klein rood boekje op. Daar stonden nog twee namen. Nog twee?
Palino stak zijn hoofd heel diep in de zak.
'Hoe kan dat nou,' piepte hij. 'Ik heb toch echt nog maar één pakje. Nou snap ik er helemáál niks meer van!'
'Tijn Loverboom, Dwarsstraat 12,' las Pico. 'Mmmm... dat is gelukkig dichtbij. Nou, dan brengen we dit pakje naar Tijn. Dat andere kind komt morgennacht wel aan de beurt...'
Palino schudde zijn hoofd. 'Morgen is het te laat! Dan varen we alweer naar Spanje. Dat weet je toch!'
Bibberend liepen ze terug naar de flat en gingen in het trappenhuis op de onderste tree zitten. Daar was het tenminste lekker warm, daar konden ze even rustig nadenken.

'We hebben dus... één pakje en twee kinderen,' zei Pico en krabde aan zijn neus. 'Hoe lossen we dat op?'
'Wie ís dat andere kind eigenlijk?' vroeg Palino. 'Misschien is het wel

verhuisd naar een andere stad. Zitten we voor niks problemen te maken.'
'Dat andere kind, wou je weten? Nou, dat is... wel alle mijters op een apenkop! 't Zal toch niet waar zijn?'
'Wat is er, wat is er toch?' schrok Palino. Als de mijters van Sinterklaas er aan te pas kwamen, moest het wel heel erg zijn!
'De prinses,' stamelde Pico. 'Prinses Emilia. O, Palino, wat moeten we doen?'
Palino kneep zijn ogen dicht en dacht zo goed na als hij kon.
'Ik ben voor Tijn Loverboom,' zei hij tenslotte, 'de prinses heeft vast al méér dan genoeg speelgoed.'
'Jamaar...' riep Pico uit. 'Jamaar Palino, een prinses kun je toch niet overslaan! Daar krijgen we de grootste problemen mee. Denk eens aan de koning! Die zal woedend zijn.'
Wat moest Palino daar nou op zeggen? Hij wist het niet.
Pico werd ongeduldig. 'Laten we eens kijken wat die Tijn voor een jongetje is,' zei hij. 'Misschien is het wel zo'n pestkop die eigenlijk helemaal geen cadeautje verdient!'
Zenuwachtig bladerde hij weer in het boekje. 'Tijn Loverboom is toevallig een heel aardig ventje,' zuchtte hij. 'Buitengewoon vriendelijk zelfs, staat hier. Dus...'
'Dus zitten we nog steeds met hetzelfde probleem,' zei Palino. 'Eén pakje, twee kinderen, en de nacht is al bijna om...'

Prinses Emilia zat rechtop in de kussens en scheen met een zilveren zaklantaarn over de gouden sterretjes boven haar hemelbed. Ze had ze nu al drie keer geteld. Honderdeenentwintig sterretjes waren er geschilderd. Wat kon ze verder nog doen om wakker te blijven?
De prinses wipte uit het bed en liep op haar tenen naar het raam. Voorzichtig schoof ze het gordijn opzij en tuurde naar buiten. Stak daar niet een stukje van een veer boven de paleismuur uit? Hoorde ze geen stemmen in de verte? Of geschuifel op het dak?
Prinses Emilia drukte haar neus tegen het venster om nog beter te kunnen zien en hield haar adem in om nog beter te kunnen horen. Maar niets... ze had zich alles maar verbeeld. Ze kon veel beter gaan slapen, de nacht was al bijna om.
Nou weet ik het dus nòg niet, dacht de prinses toen ze weer tussen de zijden lakens schoof. 'O, ik ben zo benieuwd of ik ze krijg. Ik

hoop op... O, ik hoop toch zo... O, laat Sinterklaas mij asje-asjeblieft rolschaatsen geven!' zei ze hardop in zichzelf.
Prinses Emilia stopte de zaklantaarn onder haar kussen en staarde met open ogen in het donker. Ze zag zichzelf al door de paleisgangen zwieren. Voor haar verjaardag had ze ook rolschaatsen gevraagd, maar freule Froezewiets, Emilia's hofdame, had met een zuur mondje tegen de koning gezegd: 'Rolschaatsen, dat is toch geen sport voor een prinses! Stel je voor dat ze valt, dan moet er een pleister op haar knie. Affreus!'
En omdat de koning een beetje bang voor de freule was, (zij was vroeger ook zìjn hofdame geweest) had hij zijn dochter toen maar weer een pop gegeven.
Freule Froezewiets mocht dus niets van die rolschaatsen weten. En daarom had prinses Emilia nu al nachtenlang liggen luisteren of ze de Pieten op het dak hoorde. Dan zou ze meteen gaan kijken wat er door de schoorsteen kwam. En als het rolschaatsen waren... dan zou ze die vlug verstoppen. Dan kon ze elke middag stiekem gaan rijden als freule Froezewiets haar middagdutje deed. Maar ja... die rolschaatsen waren er nog steeds niet.
Emilia draaide zich verdrietig om in haar bed. Verdrietig en ook moe van het lange wachten. En net op het moment dat ze in slaap viel, slopen twee Pietjes, met rode pofbroeken en groene manteltjes aan, de paleistuin binnen...

'Oe, oe,' fluisterde Palino, toen hij en Pico eenmaal boven op het paleisdak geklommen waren. 'Oe, oe, dat wordt nog zoeken ook. Welke schoorsteen moeten we nou hebben? Die grote in het midden? Of die kleine daar opzij? Als jij nou de rechterkant van het dak neemt, pak ik de linkerkant. Peperdefloepsenoot, ik heb nooit geweten dat op een paleis zóveel schoorsteenpijpen staan!'
Zo gezegd, zo gedaan. Ze tuurden door de schoorsteen van de troonzaal, van de spiegelzaal en van de blauwe salon, de eetkamer, de kleedkamer en de Chinese theekamer. Maar nergens zagen ze een schoentje met een wortel voor de kachel staan.
Besluiteloos keken ze in het rond. 'Daarginds, helemaal aan het eind, is nog wel een piepklein schoorsteentje,' merkte Pico op. 'Maar in zo'n achterkamertje zal de prinses wel nooit komen. Het lijkt me meer een kamer voor de zevende lakei.'

Maar omdat ze niks anders konden bedenken, gingen ze toch maar even kijken. En ja hoor, daar stond een schoentje, voor een klein kacheltje: een rood lakschoentje met een grote wortel erin.
'Eindelijk,' zuchtte Pico. 'Nou Palino, laat maar zakken, dat cadeautje.'
Palino aarzelde. 'Weet je zeker dat we het goed hebben gedaan? Met die twee ehhh...'
'Ja, vlug nou maar,' zei Pico ongeduldig. 'Wat hadden we anders moeten doen? Beter een halve banaan dan een lege schil, zei mijn grootmoeder altijd.'
Zjjjjt....plof! daar ging het pakje door de schoorsteen. En rrrrrt... roetsjjj... daar gleden de Pietjes langs de koninklijke vlaggenmast naar beneden en maakten dat ze wegkwamen.

Emilia merkte niets van dat alles. Diep in slaap droomde ze van een groot feest in de spiegelzaal. Alle prinsen en knappe jongens uit de buurt waren uitgenodigd. En ze wilden allemaal met de prinses dansen. Maar Emilia wilde niet dansen. Onder haar wijde lange rokken had ze in het geheim rolschaatsen aan. En ze wilde alleen maar dansen met iemand die óók rolschaatsen aan had.
Dus werd het een heel saai feest. Want als de prinses niet danst, dan mogen de gasten ook niet dansen. Zo zijn de regels in een paleis.
Het werd stiller en stiller in de zaal. Maar net toen iedereen in slaap dreigde te vallen, vloog de zaaldeur open.
En als een wervelwind kwam daar iemand binnengevlogen, nee niet gevlogen, maar gerold: een kleine jongen, op de mooiste rolschaatsen die je je kunt voorstellen. Hij maakte een sierlijke bocht, draaide drie keer op één been in het rond en kwam met een buiging tot stilstand. Vlak voor de prinses. En toen...
'Maar Hoogheid, Emilia, prinses! Bent u nu nog niet wakker? We hebben al drie keer een nieuw eitje gekookt. En freule Froezewiets zit al een half uur te wachten in de studiekamer. U bent toch niet ziek?' Het tweede kamermeisje schudde voorzichtig aan een spijl van het hemelbed.
Emilia vloog overeind. Eitje? Freule Froezewiets?
En het jongetje met de rolschaatsen dan? Weg! Verdwenen! Bestond niet eens!
'Ja, ja, ik kom al,' zuchtte ze. Maar voor ze zich ging melden bij de

freule, rende ze eerst nog drie lange gangen door, helemaal naar de achterkant van het paleis. Daar, in het allerkleinste kamertje, een kamertje waar de koning en de freule nog nooit geweest waren, daar had ze haar rode schoentje gezet. En ja hoor! Er zat iets in... Een doosje, met een foto van een rolschaats erop. Had Sinterklaas haar wens verhoord?
Ja... en nee. Want uit het doosje kwam maar één rolschaats... Eén rolschaats voor prinses Emilia.

Zo snel als ze was gekomen, zo snel rende prinses Emilia de drie lange gangen terug, de rolschaats onder haar jakje stevig tegen zich aan. Ze rende regelrecht naar de studiekamer. Ze trok haar zieligste gezicht, wat helemaal niet moeilijk was, want ze vóelde zich ook vreselijk zielig.
'Freule Froezewiets, ik heb zo'n hoofdpijn, ik kan onmogelijk meedoen met de les.'
'Maar kindje, dan moeten we de dokter waarschuwen.'
'Nee, nee, freule, zo erg is het nou ook weer niet. Ik wil gewoon even terug naar bed. Ik heb vannacht geen oog dicht gedaan,' zei Emilia vlug. 'Over een uurtje ben ik vast wel weer beter.'
'Weet je 't zeker?' vroeg freule Froezewiets. 'Vooruit dan maar, dan verwacht ik je om elf uur in de Franse Kamer.'
Gelukkig, ze trapte erin! Emilia zuchtte van opluchting en holde naar haar kamer. Daar deed ze de deur op slot, schoof de rolschaats onder haar bed en nam een groot wit vel koninklijk postpapier. Ze schroefde de dop van haar gouden vulpen en begon:

Lieve Geachte Sint Nicolaas,
Dank u wel voor de rolschaats. De kleur is goed en de maat is ook goed. Maar Sinterklaas, ik heb eigenlijk twee beenen dus nou wou ik u vragen of ik voor dat andere been ook nog een rolschaats krijg. Als het niet te veel moejte is, natuurluk.
(p.s.: Graag weer in het agterste kamertje, in verbant met freule Froezewiets. Zij houwdt niet zo van rolschaatsen, ziet u.)
(p.s. 2: Het gaat om een linkerolschaats, maat 35)
Kusje,
Prinses Emilia

Oepff... dat stond er. Emilia las de brief nog eens over. Ze hoopte maar dat er niet te veel fouten in stonden. Andere brieven die ze schreef gingen meestal naar de eerste secretaris, die alle fouten verbeterde, tot de punten en de komma's toe. Maar dat kon nu natuurlijk niet.
Emilia stopte de brief in een envelop en zette er met grote letters op: *MET SPOET!!! VOOR SINT NICOLAAS.* Toen drukte ze zeven keer op de kamerbel. Een minuut later stond de zevende lakei voor de deur.
'Deze brief moet zo snel mogelijk naar het postkantoor,' zei Emilia. 'Via de achteruitgang.' De lakei knikte en rende weg.
De prinses zuchtte en ging ook op weg. Naar de Franse kamer voor de Franse les. O, wat saai...

Weet je waar het nìet saai was? Op de boot van Sint Nicolaas, in de haven van de stad. Alle Pieten, grote en kleine, holden zenuwachtig heen en weer. Nog een kwartiertje, dan zouden ze wegvaren, terug naar Spanje.
De schimmel stond al veilig in het onderruim, dat wel, maar er werd nog druk gesjouwd met pakken stro en hooi. En hier en daar werd nog een koffer het dek opgehesen. Sinterklaas stond beschut tegen de wind in de stuurhut en keek goedkeurend rond. Zijn Pieten hadden weer hun best gedaan. Er waren geen ongelukken gebeurd en er waren geen klachten binnengekomen. En moest je die Pico daar eens ijverig de reling zien poetsen. En die Palino, wat stond die toch te schrobben. Sint lachte in zijn baard. Hij kon tevreden zijn.
Toet.. toet...toet! De grote stoompijp blies drie witte wolken uit. Dat betekende: klaar voor vertrek!
Daar ging het anker al omhoog. En twee matrozenpieten haalden de loopplank op. De boot begon te trillen en te schudden.... en ja hoor, ze waren los van de kant. Toet...toet... de stoomfluit floot van plezier nog maar wat wolkjes uit.
Op dat moment kwam een rood autootje de hoek omscheuren. Het rode autootje van de post. Ieeeee.... ieeee... daar stond het stil, vlak langs de kade. Een kleine dikke postbode klom het wagentje uit en zwaaide met twee brieven.
'Stop, stop!' riep hij. 'Twee spoedbestellingen voor Sint Nicolaas! Stop!'
Maar ja... De boot was al een meter van de kant. En de stoomfluit toeterde zo hard dat de stuurpiet de postbode helemaal niet hoorde. Hij stuurde gewoon door, richting zee.
Pico en Palino hadden de postbode wel gehoord. Een spoedbestelling voor Sint Nicolaas! Dat kon belangrijk zijn.
Palino leunde zo ver mogelijk over de reling heen en strekte zijn arm uit. 'Gooi maar!' schreeuwde hij tegen de postbode. 'Wij vangen wel!'
De postbode aarzelde. Op één van de brieven stond een gouden kroontje... daar ging je niet mee gooien. Maar ja, wat moest hij met zo'n brief als Sinterklaas er niet meer was?
De postbode leunde ook zo ver mogelijk naar voren, over het water heen... brrr, wat leek het ijzig diep. En of het nou kwam omdat de postbode plotseling een koude rilling kreeg of omdat de wind plot-

seling opstak, dat weet niemand. Maar de brieven maakten een hele rare slinger in de lucht en vielen toen tussen de wal en het schip in het water. Nog heel even dreven ze daar, toen zakten ze langzaam naar beneden.
'Apoe,' zei Palino, 'misschien waren het gewoon twee bedankbriefjes. Jammer dat de Sint ze niet kan lezen. Jammer, maar niets aan te doen.'
De postbode haalde zijn schouders op, als die Pieten er niet moeilijk over deden, waarom zou hij het dan wel doen, en reed terug naar het postkantoor. En een half uurtje later was iedereen de brieven vergeten.

En nu rijdt er dus elke namiddag, van klokslag twee tot half drie, een prinsesje op één rolschaats door de gangen van een paleis. Ze kan op dat ene been al de hoek om en zeven rondjes draaien zonder duizelig te worden. Ze kan ook al een beetje springen, de trappen af van het bordes, zonder te vallen. Je kunt je niet voorstellen wat je met één zo'n rolschaats wel allemaal kunt doen! Toch vraagt de prinses zich heel vaak af waar toch die tweede rolschaats gebleven kan zijn...

Wij weten dat natuurlijk al. Dus als je vroeg of laat een jongen tegenkomt met één rolschaats aan zijn linkervoet, die toevallig ook nog Tijn Loverboom heet, vertel hem dan het verhaal van prinses Emilia. Wie weet wat er dan gebeurt!

Valentine Kalwij

De zomersinterklaas

Bert had een eigenwijs broertje. Lief maar eigenwijs. Het was hartje zomer en broertje Jaap zette zijn schoen. Jaap was ervan overtuigd dat Sinterklaas er iets in zou doen. Dat was natuurlijk een rare gedachte midden in de zomer, maar dat kwam zo: Jaap had Sinterklaas een brief geschreven dat hij in december helemaal niets hoefde te hebben. Tenminste, als hij nu kreeg wat hij zo vreselijk graag wilde. Hij had de brief in zijn schoen gestopt waar Bert bijstond.
'Dat heeft toch geen zin,' zei Bert. 'Sinterklaas is er helemaal niet in juni. Je weet toch dat hij in Spanje woont. Herinner je je niet dat hij in december met de stoomboot naar Nederland komt? Dat heb je toch op de televisie gezien?'
Jaap gromde iets wat niet te verstaan was.
'Je moet geduld hebben,' ging Bert verder. 'In december mogen we onze schoen weer zetten, maar nu nog niet.'
'Dat is te laat,' antwoordde Jaap nu verstaanbaar. 'Hij krijgt mijn brief heus wel.' Hij leek heel zeker van zichzelf.
'Hoe wil je dat hij je brief krijgt als hij in Spanje is?' vroeg Bert verbaasd. Jaap was een koppig kereltje, maar je kon niet zeggen dat hij zijn verstand niet gebruikte. Hij mocht dan een stuk jonger zijn dan Bert, en erg eigenwijs, maar stom was hij niet.
'Mama heeft het zelf gezegd.'
Daar begreep Bert niets van. 'Heeft mama gezegd dat Sinterklaas in het land is en je brief zal lezen?'
'Nee natuurlijk niet.' Jaap keek Bert spottend aan. 'Ze weet heus wel dat hij in Spanje zit. Maar ze zegt dat je het hele jaar door lief moet zijn, omdat er zwarte Pieten achterblijven. Speciale zwarte Pieten die op de kinderen moeten letten en die dingen opschrijven in het Grote Boek van Sinterklaas. Je weet toch dat alles wat je hebt gedaan in dat boek staat?'
Bert knikte.
'Nou,' ging Jaap voort, 'dus weten die Pieten ook dat ik een brief in mijn schoen heb gedaan. En die zullen ze dan heus wel lezen.'
Bert vond het best logisch klinken, maar zoveel vertrouwen als Jaap

had hij niet. 'We zullen zien,' zei hij en ging naar buiten om te zien of zijn vader er al aankwam.

Toen ze aan tafel zaten, vroeg Jaaps moeder waarom hij zijn schoen bij de verwarming had gezet en wat die brief te betekenen had. Weer legde Jaap het uit.
'Ik denk niet dat het zo werkt,' zei vader. 'Op die manier zou Sinterklaas toch nooit rust krijgen?'
En moeder zei: 'Misschien vindt de Sint het ook wel een beetje hebberig als je nu ook 's zomers al wat vraagt.'
Toen werd Jaap boos. 'Niks hebberig! Ik vraag nu één cadeau in plaats van alle andere cadeaus in december.'
'Waarom heb je het dan eigenlijk niet voor je verjaardag gevraagd?' vroeg vader opeens. 'Je bent nog geen maand geleden jarig geweest. En wát wil je eigenlijk zo ontzettend graag hebben?'
Jaap begon bijna te huilen. 'Ik weet heus wel dat ik al jarig ben geweest. Daarom juist! Nu moet ik het wel van Sinterklaas vragen, want toen wist ik het nog niet.'
'Wat dan?' vroegen Bert en zijn ouders tegelijk.

'Een bal,' zei Jaap zacht.
'Maar je hebt toch een bal?' vroeg zijn moeder verbaasd.
'Ja, maar die is niet goed. Het moet een voetbal zijn. Een echte.'
'Ik geef je weinig kans,' zei zijn vader.

De volgende ochtend rende Jaap direct naar zijn schoen. Bert ging hem nieuwsgierig achterna. Een kreet van teleurstelling vertelde hem al dat zijn broertjes wens niet in vervulling was gegaan. De brief lag er nog net zo als de avond tevoren en van een cadeau was niets te bekennen. Jammerend zakte Japie bij zijn schoen neer en barstte in tranen uit.
Bert probeerde hem te troosten. 'Stil nou, joh, zo erg is het toch niet? Je kunt mijn voetbal toch lenen?'
'Dat gaat niet,' snikte Jaap. 'Ik heb hem nodig voor de club.'
'Club? Welke club? Je zit toch niet op een club?'
Zo goed en zo kwaad als het ging, legde Jaap uit dat het daar nu juist om ging. 'De jongens' hadden een club opgericht. Iedereen die lid werd, moest iets geven. Als Jaap mee wilde doen, moest hij voor een voetbal zorgen. Die werd dan met de andere bezittingen en met het clubboek opgeborgen in de clubkast die in het clubhuis stond. Het clubhuis was in de schuur van Antons vader.
Bert begreep het. De jongens met wie Japie omging, waren meer vriendjes met elkaar dan met Japie. Ze zouden hem keihard buitensluiten als hij zijn bijdrage aan de club niet zou leveren. Hij had medelijden. 'Niet huilen, joh. Je denkt toch niet dat er 's zomers elke nacht een zwarte Piet langskomt? Je moet een beetje geduld hebben. Misschien lukt het vannacht wel.'
'Denk je?' vroeg Jaap met een bibberstemmetje.
Met een hoopvol glimlachje verdween hij naar de badkamer om zich te wassen.

Bert had een hele dag om het besluit te nemen, maar diep in zijn hart, wist hij al dat hij het zou doen. Hij voetbalde trouwens nooit meer nu hij op judo zat.
Toen Jaap naar bed was, haalde Bert zijn voetbal uit de kast, vroeg een stuk cadeaupapier en ruilde zijn broertjes brief met de ingepakte bal. Hij verheugde zich op het gezicht van Jaap de volgende ochten en hij sliep die nacht heel goed.

Iets minder snel dan de vorige dag, haastte Jaap zich naar beneden. Hij was een beetje bang voor een nieuwe teleurstelling. Bert liep vlak achter hem aan.
De kreet die Japie slaakte, was er dit keer een van vreugde. Stralend pakte hij het cadeau uit en hij drukte de bal tegen zich aan, terwijl hij zo hard mogelijk 'Dank je wel, zwarte Piet' in de lucht schreeuwde. 'Het is er net zo één als jij hebt,' lachte hij tegen Bert. 'Dat zijn goeie hè!'
Bert knikte. 'Nou en of.' Toen mompelde hij nog dat hij zijn eigen bal trouwens kwijt was, omdat Karel hem in het water had getrapt, maar Japie luisterde al niet meer. Zingend liep hij naar boven om zijn moeder de bal te laten zien.
Bert maakte een prop van het pakpapier en gooide die in de papierbak. Hij voelde zich beregoed. Zou Sinterklaas zich ook altijd zo voelen? Dan snapte hij eindelijk waarom de Sint op zijn verjaardag cadeautjes weggaf in plaats van ze te vragen. Maar omdat Bert nog geen heilige was, maar een doodgewone jongen dacht hij er nog iets achteraan: misschien kwam zijn daad wel in het Grote Boek van de Sint en dan leverde dat hem in december vast een extra mooi cadeau op!

Van Valentine Kalwij zijn de volgende boeken verkrijgbaar:

Een lolletje
Het lijk langs het spoor

Willem Weijters

De vechtersklazen

'En, meisje, hoe is jouw naam?'
'Laura...' zegt Laura.
'Ach natuurlijk, Laura. Hoe kan ik het vergeten?' lacht Sinterklaas. 'Sinterklaas wordt al oud, dat merk je wel. Piet, geef Laura eens gauw zo'n lekkere sinaasappel.'
'Uit Spanje, Sinterklaas?'
'Natuurlijk, Piet! Uit Spanje. En jij jongetje, jou ken ik ook, jij heet eh... help me eens.'
'Bennie!' roept het jongetje.
'Precies! Ik wou het nèt zeggen. Sint weet alles, en hij kan veel. Heel veel. Piet, geef Bennie ook eens zo'n lekkere sinaasappel.'
'Uit Spanje, Sinterklaas?'
'Natuurlijk Piet, natuurlijk.'
Laura loopt glimmend van plezier verder.
'Eet je hem meteen op? Of zullen we hem aan mama laten zien?' vraagt haar vader.
'Eerst aan mama laten zien.'
'Geef maar.' Papa stopt de sinaasappel in de tas en ze gaan het warenhuis in. Met een schok blijft Laura staan. Dát kan niet!
'Wat is er?' vraagt papa.
'Dáár!' wijst Laura. Nog geen tien meter van hen vandaan staat Sinterklaas weer. Maar nu ín het warenhuis.
'Net w...was ie nog buiten!' stottert Laura.
'Nou, dan is ie eh... gauw binnengekomen,' zegt papa.
Laura rukt zich los en rent terug naar de ingang.
'Hé!' roept papa en komt achter haar aan, maar Laura is al buiten. Dáár loopt Sinterklaas! Hij kijkt nog een keer om en zwaait. Misschien wel speciaal naar Laura. Dan verdwijnt hij om de hoek.
'Hij... hij... was óók hier op straat,' hijgt Laura tegen haar vader. 'Dat kán toch niet?'
'Eh... daarstraks ja. Maar nou toch niet? Ik zie niks,' zegt papa. 'Misschien was het wel iemand anders. Ik zag net een mevrouw in een rode jas. Misschien heb je díe wel gezien.'

'Een mevrouw met een witte baard, zeker!' zegt Laura kwaad.
'Ja, eh... een mevrouw met een witte sjaal of zo. Ja, dat kan best. Ik eh... zag ook iets wits,' zegt papa. 'Kom. We hebben nog een hoop te doen.'
In het warenhuis probeert Laura uit de buurt van de tweede Sinterklaas te blijven, maar het lukt niet.
'Zeg meisje, jij daar ja, hoe heet je ook weer?' roept de tweede Sinterklaas naar haar.
'Laura! Ik heb het nèt nog gezegd,' bromt Laura.
'Natuurlijk! Paula! Hoe kon ik het vergeten,' lacht Sinterklaas.
'Niet Paula. *Laura*!' roept Laura.
'Oh, *Laura*! Sinterklaas had het niet goed verstaan. Jaja, Sint wordt al oud, dat merk je wel. Zijn oren zijn niet meer zo goed. Piet!'
'Ja Sinterklaas.'
'Geef jij Laura eens gauw zo'n lekkere mandarijn.'
'Uit Spanje, Sinterklaas?'
'Natuurlijk, Piet! Uit Spanje. Waar anders?'

Laura kan niet slapen. Ze ligt maar te woelen in haar bed.
'Het kán niet,' mompelt ze boos. 'Eén van die twee Sinterklazen was níét de echte. De tweede, denk ik.'
Ze geeuwt. Haar ogen vallen bijna dicht, maar ze is te kwaad om te slapen.
Bah, wat gemeen. Die tweede Sinterklaas was namaak.
'Ik weet zeker dat hij een valse baard had. Met een touwtje of met een elastiek. Ik had aan zijn baard moeten trekken. Jammer dat ik dat niet durfde,' zegt ze hardop tegen zichzelf.
Ze geeuwt weer.
Haar bed wordt steeds zachter, en begint een beetje te zweven. Nu zal ze wel gauw in slaap vallen.
Maar ineens hoort ze twee boze stemmen. Ze gaat overeind zitten.
'Ga weg jij. Jij bent namaak!' roept een boze mannenstem.
'Ga jij maar weg! Of ik zal eens aan je baard trekken,' roept een andere stem.
Het geluid komt van buiten. Van boven, van het dak.
Laura stapt uit haar bed. Zachtjes doet ze haar schoenen aan en trekt een trui over haar pyjama aan. Dan loopt naar het raam. Buiten sneeuwt het en de maan schijnt door de bomen.

'Er kan er maar één de echte zijn, en dat ben ik!' schreeuwt een boze stem op het dak.
'Laat me niet lachen!' roept de ander. 'Ik zie zó het touwtje van je valse baard al.'
Het raam gaat makkelijk open. Gelukkig kan Laura goed klimmen. In een paar tellen staat ze al in de dakgoot. Er ligt een dik pak sneeuw op de dakpannen.
Ze kijkt naar de nok van het dak. Daar staan twee Sinterklazen, die er precies hetzelfde uitzien. Laura kan niet zien wie de echte is. Het touwtje van de valse baard ziet ze ook niet.
'Jij oplichter! Hier, pak aan!' brult de ene Sint. Hij zwaait met zijn lange staf door de lucht. Raak!
'Au! Valserik!' brult de ander. 'Hier. Die is voor jou!' Hij steekt met zijn staf alsof het een speer is.
Die is ook raak. De eerste Sint geeft een boze gil en valt achterover. Met zijn blinkende zwarte schoenen in de hoogte, stort hij van het dak af. In een wolk van sneeuw valt hij voor de ogen van Laura omlaag.
Gelukkig ligt er ook een dik pak sneeuw beneden op straat. De Sinterklaas ploft erin en staat al gauw weer overeind. 'Kom naar beneden, stuk namaak!' schreeuwt hij naar de andere Sint.
'Dat zal ik doen, slechte vervalsing!' roept die.
Hij glijdt van het dak af op zijn blinkende zwarte schoenen, alsof het ski's zijn.
In een wolk van sneeuw suist hij Laura voorbij. Beneden krijgt hij meteen een mep van de staf van de eerste.

Vechtend rollen de Sinterklazen door de sneeuw. Laura schaamt zich er een beetje voor. Maar het is toch niet háár schuld?
Toch moet ik er iets aan doen, denkt ze.
Vechtende Sinterklazen, dat hóórt toch niet?
Snel glijdt ze langs de regenpijp naar beneden. 'Hou op!' roept ze. 'Jullie moeten altijd goed en heilig zijn.'
'Eerst die valserik aan zijn baard trekken!' schreeuwt er een terug. 'Hij is namaak!'
'Liegbeest!' schreeuwt de ander. 'Ik ben de echte. Jij bent vervalst!'
'Nee, jij! Hier, pak aan! Een knal voor je mijter!'
'Nee, jij! Daar, die zit! Een schop tegen je tabberd!'

Ze vechten nog twee keer zo hard door. Hun mijters staan scheef en er zitten scheuren in hun rode mantels. Maar hun baarden zitten nog vast, dus Laura kan niet zien wie de echte is.
'Stop toch!' roept ze wanhopig. 'Wat moeten wij kinderen wel niet van jullie denken?'
'Nog even, Paula! Ik heb hem er bijna onder,' brult de ene Sinterklaas.
Hij heeft een been van de tweede te pakken en draait aan de glimmende zwarte schoen.
'Au! Dat is gemeen! Paula, trek hem aan zijn baard!' brult de tweede Sint.
Hij rolt zich om en trapt met zijn vrije voet. De eerste laat los.
Nu springen ze overeind en slaan erop los met hun staf. Krak, daar gaat een staf in stukken. Knal, krak, en daar de tweede. De splinters vliegen in het rond. Het is vreselijk.
'Ik heet *Laura*!' schreeuwt Laura kwaad. 'En jullie zijn alletwéé namaak!'

'Dat heb je goed gezien, meisje,' bromt een rustige, goedige stem naast haar.
Laura kijkt op. Daar staat Sinterklaas. De maan schijnt op zijn mooie witte baard, op zijn gouden staf en op zijn rode mantel.
Hoofdschuddend kijkt hij naar de vechters. 'Een schande,' zegt hij. 'Zij zijn geen van tweeën de echte Sinterklaas, dat kun je wel zien.'
'De vechtersbazen. Foei,' zegt een rustige stem aan de andere kant van Laura.
Verrast kijkt ze die kant op.
Daar staat nòg een Sinterklaas. Met diepe rimpels in zijn voorhoofd kijkt hij naar het gevecht.
'H...hoe..?' stottert Laura.
Ze kijkt van de Sint links naar de Sint rechts. En dan naar de vechtende Sinterklazen, die weer door de sneeuw rollen.
'W...wie is nu..?' stamelt Laura. Verder komt ze niet, want plotseling ziet ze wéér een Sint. Hij komt statig aangelopen aan de overkant van de straat. En vlak achter hem komt er nog een, en dan van links nog een, en van rechts nog twee.
Nu staat er een kring van zeven Sinterklazen om de vechtersbazen heen.
'Ik zie zó de touwtjes van hun baard,' zegt er een streng. 'Die twee zijn namaak.'
'Zeker weten,' zegt een ander. 'Dat zijn geen Sinterklazen, dat zijn vechtersklazen.'
'Wat moeten de kinderen daar wel niet van denken,' bromt de derde.
'Ha, daar gaat je valse baard!' schreeuwt een van de vechtersklazen op dat moment. 'En je mijter erbij!'
'Maar de jouwe ook!' schreeuwt de ander. 'Daar!'
Met een geweldige ruk trekken ze elkaar de valse baarden en de mijters af. Ineens zitten daar twee gewone mensen in de sneeuw.
De een is de mevrouw die altijd moppert bij de bushalte, en de ander is een man van de tv.
'Zie je wel,' zegt een Sint uit de kring. 'Allebei namaak.'
'Dit meisje hier had dat allang door,' zegt een ander. 'Laura heet ze.'
Alle Sinterklazen lachen vriendelijk naar Laura.
Ze raakt er erg van in de war. Zéven Sinterklazen. Dat kán toch niet?
Ze zucht.

‘Wat is er meisje?’ vraagt de Sinterklaas die rechts van haar staat. ‘Zeg het maar. Wil je misschien zo’n lekkere sinaasappel uit Spanje?’
‘Nee dank u, ik heb er nog een,’ zegt Laura. ‘Maar… wie is er nu de *echte* Sinterklaas? Bent u de echte?’
‘Natuurlijk, Laura. Ik ben de echte,’ lacht de Sint. ‘Als je het niet gelooft, mag je wel even aan mijn baard trekken.’
Vooruit Laura, denkt Laura. Nú moet je durven!
Ze grijpt met twee handen naar de mooie witte baard en geeft er een stevige ruk aan.
‘Au! Oei au! Tjonge!’ roept de Sinterklaas. ‘Zie je wel? Geen touwtje, geen elastiek.’
‘U bent de echte,’ zegt Laura blij. Ze draait zich om naar de Sint die links van haar staat.
‘En u dan? Bent u namaak?’

De Sinterklaas links trekt een verbaasd gezicht. 'Ik? Namaak? Nee nee! Ik ben de echte!' zegt hij. 'Als je het zeker wilt weten moet je even aan mijn baard trekken.'
'Goed dan,' zegt Laura, en ze geeft een flinke ruk.
'Au oei! Au! Nounou!' roept de Sinterklaas. 'Zie je wel?'
De andere vijf Sinterklazen dringen om haar heen.
'Probeer onze baarden ook maar eens,' zeggen ze. 'Vooruit maar, het mag.'
Laura probeert ze allemaal. Ze zijn allemaal echt. Bedremmeld kijkt ze van de een naar de ander.
De Sinterklazen lachen goedig.
'Ze snapt het nog niet helemaal,' zegt er een.
'Kom, we leggen het haar nog een keer uit,' zegt een andere Sint.
'Hoor eens, meisje,' zegt de derde. 'Sint kan veel.'
'Héél veel,' zegt de vierde.
'Jij heet Laura, nietwaar? Hoor eens, Laura, er is maar één *echte* Sinterklaas,' zegt de vijfde.
'En dat zijn wij,' zegt de zesde.
Ze knikken allemaal ernstig.
'En nu gauw naar je warme bedje,' zegt de zevende Sint. 'We treffen elkaar morgen wel weer ergens.'
Laura klimt als een eekhoorn langs de regenpijp naar boven. Ze zwaait nog even naar de Sinterklazen en kruipt dan terug in haar bed. Met een glimlach slaapt ze in.
De volgende dag ziet ze Sinterklaas eerst op school, en later met haar moeder erbij nog twee keer bij oma in de buurt.
'Je zou haast denken, welke is de echte?' lacht mama.
'Allemaal, dat zie ik zo,' zegt Laura. 'Wil je een mandarijn uit Spanje van me, mama? Ik heb er genoeg.'

Mies Bouhuys

De paraplu

Het regent, het regent,
het regent dat het giet.
En dat zou zo erg niet zijn
als net vannacht niet zwarte Piet
over het natte, gladde dak
op pad moest met zijn zak.

De mensen, de mensen,
die zitten warmpjes thuis.
Nog met geen grote dikke stok
krijg je ze uit hun huis.
En niemand denkt aan 't natte dak,
waar Piet loopt met zijn zak.

De kinderen, de kinderen,
die zingen bij de haard,
ze leggen briefjes in hun schoen
en wortels voor het paard.

Eén mannetje, één mannetje,
heel oud, die denkt: wat nu?
En hij haalt uit zijn rommelkist
een grote paraplu.
Die legt hij neer op 't natte dak,
waar Piet loopt met zijn zak.

Het regent, het regent,
maar op het dak, heel hoog,
loopt Piet onder die paraplu
en hij blijft lekker droog.
Hij huppelt over 't natte dak
en rommelt in zijn zak.

Het mannetje, het mannetje,
zegt 's morgens: hè, wat nu?
Wat staat daar naast mijn kacheltje?
Dat is mijn paraplu!
En daar – wat zit er in dat pak? –
Een pijpje en tabak!

Kees Jan Bender

Gedeelde vreugd

'Zeg eens aaa...?'
'Aaaa,' zegt de Sint.
'No esta bien, dat klinkt niet goed,' mompelt de Spaanse dokter. Hij onderzoekt de Sint verder. Hij luistert naar zijn hart en longen. Hij laat de Sint door zijn knieën zakken en allemaal oefeningen doen. Nog een klopje hier, een buiging daar en dan is de dokter klaar.
'En?' vraagt Sinterklaas. 'Hoe fit ben ik?'
'Uw hart is gelukkig nog sterk, Sinterklaas. En dat is maar goed ook, want wat ik u nu moet vertellen zal een hele schok voor u zijn.'
'Ach,' stelt de Sint hem gerust, 'zegt u het maar. Ik heb in mijn leven al zoveel leuke, maar ook nare dingen gehoord. Met die schok zal het wel loslopen.'
'Bueno,' zegt de dokter, 'ik verbied u om naar Nederland te gaan en daar uw verjaardag te vieren.'
De Sint verbleekt. 'Wat zegt u daar? Niet naar Nederland, maar dat kan niet, dat is uitgesloten, alle kinderen verwachten me.'
'Sinterklaas,' zegt de dokter, 'hoelang doet u dit werk nu al?'
'Iets meer dan vierhonderd jaar,' antwoordt de Sint.
'En dan verbaast het u nog dat er een moment komt waarop het basta is. U wordt nu echt te oud om nog een winter te trotseren. Uw longen piepen, uw gewrichten raken verstijfd. U wordt te stram om nog op daken te klauteren. Ik zou u zelfs willen verbieden om uw paard te bestijgen. En dan heb ik het nog niet gehad over die koude en natte zeereis. Eén serieuze verkoudheid met complicaties en het is gebeurd. Nee Sinterklaas, ik verbied het u.'

De Sint zit heel verdrietig thuis in zijn grote paleis. De woorden van de dokter malen door zijn hoofd. En het ergste van alles is, dat hij de dokter niet helemaal ongelijk kan geven. Hij begint zich ook zelf de laatste tijd te oud te voelen voor dit werk. Vorig jaar was hij zo verstijfd en verkouden thuisgekomen, dat het weken had geduurd voor hij zonder hulp zijn eigen neus weer had kunnen snuiten.
Ik zal het moeten afzeggen, denkt de Sint bij zichzelf. Hij heeft het

nog niet aan zwarte Piet durven vertellen. Die middag schrijft Sint de moeilijkste brief die hij ooit in zijn leven geschreven heeft:

Spanje, einde van de zomer
Lieve kinderen,

Het spijt me verschrikkelijk, maar ik kan dit jaar mijn verjaardag niet komen vieren, en misschien volgend jaar ook niet. Jullie Sint wordt te oud en kan niet meer tegen de kou. Ik word er zo stijf en verkouden van dat ik pakjes niet meer veilig rond kan brengen. Ik zal aan de Kerstman vragen of hij mijn werk wil voortzetten.
Heel veel liefs, de Sint.

p.s.: Piet en ik zouden het leuk vinden om af en toe eens te horen hoe het met jullie gaat en zing ook gerust een liedje in op ons antwoordapparaat.

Nadat hij in zijn grote boek alle adressen heeft opgezocht, stuurt Sint de brief weg. Op maandag valt de brief bij alle kinderen in Nederland in de brievenbus.
Het gevolg is een ramp te noemen. Alle kinderen zijn van slag. Thuis en op school wordt over niets anders meer gepraat. Dit kan toch niet? Hoe moet dat nou? Hoe kan je nou groot worden zonder Sinterklaas? Ook de grote mensen kunnen dit nieuws bijna niet geloven. Dit gaat ze toch te ver. Nadat de kinderen over de eerste schrik heen zijn, beginnen ze plannen te maken. Alleen en in groepjes denken miljoenen kinderen na hoe ze ervoor kunnen zorgen dat de Sint wel kan komen. Er wordt voorgesteld om op alle huizen dakverwarming aan te leggen. Misschien zou er een enorm grote kaasstolp over Nederland heen gezet kunnen worden om de kou en regen buiten te houden. Kinderen stellen voor om met z'n allen op vijf december naar Spanje te gaan en de verjaardag bij de Sint thuis te vieren. Anderen bedenken dat er voor de Hollandse kust een enorm tropisch zwemparadijs gebouwd zou kunnen worden, waar Sinterklaas en alle kinderen van Nederland in kunnen. Maar een echt goede oplossing wordt niet gevonden.
De Kerstman wordt vriendelijk bedankt voor zijn aanbod om alleen in Nederland Kerstmis op zes december te vieren.

Op de derde dinsdag van september, op Prinsjesdag, spreekt de koningin in haar troonrede niet van een nationale ramp, maar van een nationale teleurstelling.

Een week later wordt Sinterklaas 's avonds opgebeld.
'Goedenavond Sinterklaas, u spreekt met de koningin. Ik hoop niet dat ik stoor.'
'In het geheel niet,' antwoordt de Sint. 'Ik ben blij dat u belt, want ik heb tegenwoordig niet meer zoveel om handen ziet u.'
'Sinterklaas,' gaat de koningin verder, 'ik heb uiteraard alle begrip voor uw beslissing, maar het zit me toch niet lekker dat u uw verjaardag niet meer kunt vieren. Ik heb daar ook zelf als kind zulke geweldige herinneringen aan overgehouden. En nu dacht ik het volgende. Zoals u weet ben ik ook elk jaar jarig.'
'Dat is mij bekend,' zegt Sinterklaas.
'En dat vier ik altijd op 30 april.'
'Ook dat weet ik,' zegt Sinterklaas, 'want ik stuur u toch altijd een kaartje.'
'Ja dat vind ik erg attent van u, en weet u wat het bijzondere van die dag is?'

'Dat u jarig bent en alle mensen vrij hebben,' raadt de Sint.
'Dat ook, maar het is die dag, al sinds mijn moeder op die dag haar verjaardag vierde, mooi weer. Het is altijd een stralende en warme dag.'
'Nou,' de stem van de Sint klinkt bedroefd, 'dan boft u. Dat kan ik van mijn verjaardag niet zeggen.'
'Nu wil ik u voorstellen,' gaat de koningin onverstoorbaar verder, 'om dit jaar op die dag allebei onze verjaardag te vieren. Wat dacht u daarvan?'
De Sint is verbluft. 'Maar dat kan toch niet, dat is úw verjaardag.'
'Stelt u zich eens voor,' gaat de koningin enthousiast verder, 'dat niet alleen ik, maar alle kinderen op die dag cadeaus krijgen. Dat wordt nog eens feesten. En uw appeltjes van oranje passen perfect in de aankleding.'
'Daar heeft u gelijk in, Hoogheid,' zegt de Sint blij, 'en dan hebben de kinderen eindelijk op mijn verjaardag eens een dag vrij om met hun speelgoed te spelen.' Het is even stil. 'Maar nee,' zegt hij dan beslist, 'een leuk idee, maar het kan niet. Want ik ben op die dag toch helemaal niet jarig.'
'Geen probleem,' lacht de koningin. 'Dat ben ik toch ook niet.'
'Nee, dat is waar,' zegt Sinterklaas, 'u bent eigenlijk in januari jarig. En dat betekent dat ik u dus altijd op de verkeerde dag een verjaardagskaart heb gestuurd,' zegt de Sint onthutst.
'Dat heeft u niet,' zegt de koningin. 'En wat dan nog, het belangrijkste is dat u aan me denkt. Ik reken dus op u op 30 april en ik zorg wel voor snoep en gebak. Per slot van rekening is het ook mijn verjaardag.'
De Sint heeft een brok in zijn keel. 'Dank u wel mevrouw, eh koningin.'

Het is even wennen, maar hoe dichter de Koningin-en-Sintdag naderbij komt, hoe meer zin iedereen erin krijgt. De straten hangen vol versiering. Alle hofleveranciers hebben Sinterklaas op verzoek van de koningin geholpen met de cadeaus en het strooigoed. Oranje chocoladeletters liggen naast de oranje taarten bij de bakkers. Ook alle marsepein is oranje. Zwarte Piet mag zich nu Oranje Piet noemen en met Sinterklaas zijn opwachting maken bij de koningin. De Sint voelt zich opperbest, geen verkoudheid, geen gepiep en

voor de koningin er iets van kan zeggen, heeft hij een hele diepe buiging voor haar gemaakt.
'Van harte gefeliciteerd met uw verjaardag, majesteit,' zegt hij.
'En u ook nog vele jaren, Sinterklaas.'
De Sint en de koningin maken een rondrit in de gouden koets, getrokken door het paard van Sinterklaas. Zo hoeft de Sint zijn schimmel niet meer te bestijgen en zijn paard hoeft het dak niet meer op. De dokter mag tevreden zijn.
Voor de kinderen is het een droomdag. Cadeaus en alle tijd om ermee buiten te spelen. En ook voor ouders is het een geluksdag, want de kinderen verkopen dezelfde dag op straat al het speelgoed dat ze ontgroeid zijn. Aan het eind van de dag ziet het er in alle huizen opgeruimd uit.
En wie koopt dat oude speelgoed dan? Kinderen niet, want die hebben vandaag al gekregen wat ze wensten. Nee, al het oude speelgoed wordt opgekocht door de Oranje Kringloop Pieten. Zij doen het in de zakken en nemen die weer vol mee terug naar Spanje. Daar zal het oude speelgoed weer helemaal worden opgeknapt en kan het volgend jaar weer als nieuw in de schoenen worden gestopt om er andere kinderen blij mee te maken.
Maar komt er nog wel een volgend Sinterklaasfeest? Als het aan de Sint en de koningin ligt wel en daar zijn alle kinderen het roerend mee eens – en het liefst op een warme en vrije dag.

Van Kees Jan Bender is verkrijgbaar:

Camembert

Gerard Delft

De tekening voor Sinterklaas

'Goeiemorgen, dochtertje van me,' zegt vader als Babet in haar pyjama de kamer binnenstapt.
'Raad eens wie er vandaag komt,' zegt moeder.
'Oma,' zegt Babet.
'Mis.'
'Opa dan?'
'Weer mis.'
Opeens weet ze het weer.
'Sinterklaas!'
'Ja,' roepen vader en moeder tegelijk. 'Sinterklaas komt!'
'Om twaalf uur,' zegt vader.
'Is dat al gauw?'
'Nee, dat duurt nog wel even. Kom eerst maar eens rustig ontbijten,' zegt moeder.
Na het eten wil Babet meteen in bad. En daarna wil ze een tekening voor Sinterklaas maken.
'Wat zal ik tekenen, mam?'
'Weet je dat dan niet?'
'Nee.'
'Tsja,' zegt moeder. 'Eh...'
'Ik weet het al,' roept Babet. 'Ik teken Sinterklaas.'

'Een tekening *van* Sinterklaas, *voor* Sinterklaas. Dat is een goed idee,' lacht vader.
Babet pakt de doos waar de potloden inzitten en een vel papier. Dan gaat ze op haar knieën op een stoel aan tafel zitten. 'Mam, hoe heet die hoed ook weer?'
'Hoed?'
'Van Sinterklaas.'
'Een mijter.'
'O ja.'
Zo'n mijter is niet moeilijk om te tekenen, vindt Babet. Ze weet precies hoe hij eruitziet. Op school hebben ze er allemaal een van papier gemaakt. Ze tekent een kruis op de mijter. Dan tekent ze Sinterklaas eronder. En daarna gaat ze alles netjes inkleuren.
Als de tekening af is, houdt Babet hem omhoog. Ze vindt dat hij heel mooi geworden is.
'Gaan we zo mam?'
'Nee. Sinterklaas komt nog lang niet.'
'Kan ik nog een tekening maken?'
'Ja hoor.'
'Dan maak ik die voor jou.'
'Fijn. Als ie af is, prik ik hem op het prikbord.'
'Heeft Sinterklaas ook een prikbord?'
'Vast wel,' zegt moeder.
Dus tekent Babet weer een mijter. Een mijter met een Sinterklaas eronder.

Moeder en Babet zijn op weg naar het plein voor het winkelcentrum. Daar zal Sinterklaas aankomen. Vader is thuisgebleven om pepernoten te bakken. Babet heeft nog geholpen met het rollen van de balletjes.
Onder het lopen, kijkt Babet naar de tekening in haar hand. Opeens staat ze stil. 'Mam, kijk eens, ik heb jouw tekening ook meegenomen,' roept ze verschrikt.
'Geef maar,' zegt moeder. 'Die stop ik zolang in mijn tas.'
Als ze bij het plein aankomen, staan er al een heleboel mensen. Zo kan ik niets zien, denkt Babet. Hoe moet ze de tekening nu geven? Maar moeder weet raad: 'Kijk eens Babet, vooraan staan de kinderen. Daar ga je gewoon bij staan. Goed?'

Babet knikt: 'Waar ga jij staan mam?'
'Ik sta achter je. Bij de andere vaders en moeders.' Moeder geeft Babet een hand. Dan tikt ze een dame op haar schouder. 'Mogen we er even langs? Dank u wel. Pardon mijnheer, mag ik u even plagen?'
De mensen laten Babet en moeder door. Even later staan ze vooraan.
'Zo Babet, hier kun je alles goed zien,' zegt moeder. Daarna gaat ze tussen de andere grote mensen staan.

Midden op het plein speelt een orkest Sinterklaasliedjes. Af en toe hoort Babet een bekend liedje. Dan zingt ze mee. Na een tijdje wordt ze ongeduldig. Zou het nog lang duren? Opeens ziet ze wat bewegen. Er komt iets aanrijden. Jawel! Maar het is Sinterklaas niet. Het is een agent op een motor. Achter de agent rijdt een auto. Vlak voor Babet stapt de agent van zijn motor af. Ze moeten allemaal wat opzij schuiven van hem. De auto moet tussen de mensen door. Dan zoekt iedereen zijn oude plekje weer op.
'Sinterklaas!! Daar komt ie! Kijk daar,' roepen opeens een paar kinderen. En ja hoor, in de verte ziet Babet Sinterklaas. Hij zit op zijn mooie witte paard. De Pieten lopen eromheen. Ze delen snoep uit. Eén Piet houdt het paard vast. Dat is natuurlijk de hoofdpiet.
Babet voelt haar hart sneller kloppen. Als Sinterklaas nou maar van zijn paard afstapt. Zo kan ze hem de tekening nooit geven.
De tekening! Ze kijkt naar haar hand. Dan schrikt ze. Waar is de tekening? Ze is hem vast verloren, toen iedereen van de agent op moest schuiven. Babet probeert tussen de benen van de kinderen te kijken. Ze stapt de straat op, om het beter te kunnen zien. Maar nergens ligt de tekening. Tranen springen in Babets ogen. Ze begint te huilen.
Opeens tilt iemand haar op. En dan kijkt Babet in het gezicht van... de agent!
'Waarom huil jij zo? Je bent toch niet bang voor Sinterklaas?' vraagt hij vriendelijk.
'Mijn te...he...kening,' snikt Babet. 'Mijn te...he...kening is weg.'
'Is je moeder hier?'
'Da...haar.' Ze wijst naar de grote mensen.
'Hoe heet je?'
'Ba...ha...bet.'

Dan tilt de agent haar op zijn schouders. Hij loopt langs de mensen. 'Is de moeder van Babet hier?' roept hij met een zware stem.
Daar is moeder al. 'Wat is er gebeurd, agent? Ze is toch niet gevallen?'
'Nee, maar haar tekening wel, denk ik. Uw dochter is hem kwijt.' De agent zet Babet op de grond. Snel pakt ze mama's hand.
'Je tekening kwijt? O, maar dan weet ik wat, Babet. Die tekening die je voor mij gemaakt hebt. Geef die aan Sinterklaas.'
Babet houdt meteen op met huilen. Moeder haalt de tekening uit haar tas. 'Kijk, hier heb ik hem.'
'Wat een mooie tekening,' zegt de agent. Hij stapt op zijn motor. Voor hij wegrijdt, roept hij nog: 'Dag Babet. Houd je tekening goed vast.'

Sinterklaas is van zijn paard gestapt. Hij loopt vlak langs de kinderen. Als hij bij Babet komt, houdt ze de tekening omhoog. Sinterklaas blijft staan. Hij kijkt haar diep in haar ogen. Ze wordt er hele-

maal warm van. Dan pakt Sinterklaas de tekening. 'Prachtig hoor, prachtig,' zegt hij. 'Heb jij die voor mij gemaakt?'
Babet knikt.
'Dank je wel,' zegt Sinterklaas. 'Ik vind hem erg mooi.' Dan loopt de Sint weer verder.
Een Piet duwt wat strooigoed in haar hand. Maar Babet merkt het niet eens. Ze kijkt naar Sinterklaas, die háár tekening in zijn witte handschoen vasthoudt.

Als ze thuis zijn, maakt Babet weer een tekening. Niet van Sinterklaas, maar van een agent op een motor.
Moeder schrijft erbij: *'Deze lieve agent heeft mij geholpen.'*
Vanavond doet Babet hem in haar schoen, bij de wortel voor het paard.
'Als Sinterklaas de tekening ziet, krijgt die agent vast wat extra's in zijn schoen,' zegt ze.
'Of in zijn helm,' zegt moeder.
'Daar kunnen wel drie zakken pepernoten in,' lacht Babet.
'Maar niet die van mij,' zegt vader. 'Die eten we zelf lekker op.' En hij zet een grote schaal met versgebakken pepernoten op tafel.

Van Gerard Delft zijn de volgende boeken verkrijgbaar:

Snorrekat en Morremuis
Babet
'1 April, Haas,' zei Konijn

Hedie Meischke

Boze Berta en Sinterklaas

Ondanks de gure novemberwind, waren er veel kinderen op straat.
'Wat zijn de jongelui toch druk vandaag,' zei een oud mannetje. 'De wind blaast onrust in hun hoofden.'
'Welnee,' zei een ander oud mannetje. 'Sinterklaas komt. Dat is het.'
De kinderen holden en sprongen rond. Af en toe stond er eentje stil om in de verte te turen. Nog niets te zien. Of toch? Er naderden twee gebogen figuren, die moeizaam een oud knarsend karretje voortduwden.
'Kijk uit, jongens. Het zijn Boze Berta en Gijsje van Garderen.'
Dat waren twee slechte vrouwen. Loeders van wijven, dat zag je zo. Ze waren slonzig gekleed en als ze je aankeken met hun gluiperige prikoogjes, liepen de koude rillingen over je rug.
Geen enkel kind durfde dichtbij hen te komen. 'Heksen!' jouwden ze van een afstandje. Ze leken op een stel kwetterende mussen die twee kraaien pestten.
'Snertkinderen.' Berta knarste met haar tandstompjes. Zoals elke ochtend waren ze naar de markt geweest met hun kar vol oude lapjes, maar ze hadden niets verkocht. Vandaag dacht iedereen aan Sinterklaas. En aan kinderen.
Klets! Berta spuugde hard op de grond. Ze had ontzettende een hekel aan die brutale apen, die altijd overal hun neus instaken.
'Heks, waar is je bezem?' Een jochie met hele ondeugende grote ogen danste om Berta heen. Hij grijnsde van oor tot oor.
'Hup Sjors,' joelden de anderen.
Berta klemde haar knokige vingers om de duwstang van de kar en begon harder te lopen. Gijsje schrok ervan. Zoals gewoonlijk had ze lopen suffen. Nu zag ze de kinderen en de kwaaie kop van Berta en ze begreep dat er storm op komst was.
'Wind je niet op,' zei ze. 'Je moet die misbaksels gewoon negeren.'
'Ik zal ze,' gromde Berta. 'Ik zal ze krijgen.'
Ze liepen de stad uit, maar de kinderen bleven hen volgen als een zwerm lastige vliegen. Waar de huizen ophielden, blies de wind ineens veel harder. De kinderen werden steeds wilder.

'Laten we Bob jonassen,' schreeuwde een grote jongen. Bob was het zoontje van de burgemeester. Hij was zo licht dat hij door de anderen vaak als speelbal gebruikt werd. Nu ook. De kinderen pakten hem bij zijn armen en benen en mikten hem van je een, twee, drie midden op de berg stinkende oude lappen. Met een schok stond de kar stil.
'Zo mannetje, jij durft.' Met haar koude roofvogelogen loerde Berta naar Bob, die als verstijfd bleef zitten.
'Bob, kom gauw,' riep Sjors. Er ging een rilling door Bob heen en toen sprong hij vlug op de grond.
Op dat moment voerde de wind een vlaag muziek mee uit de stad.
'Ik hoor de fanfare,' zei een meisje.
'De optocht begint! Sinterklaas komt,' riep Bob en de kinderen stoven weg. Woedend keken de vrouwen hen na.
'Sinterklaas, de kindervriend. Jesses!'
'Verwende mormels zijn het.'
'Mirakels. Ik zal ze...' Berta wilde nog eens flink op de grond spugen, maar langzaam liet ze de klodder slijm terugglijden en slikte. Met haar ogen tot spleetjes geknepen, keek ze de weg af. Ze grinnikte.
'Wat heb je?' vroeg Gijsje. 'Ben je niet goed?'
'Ik heb een plan.' Berta gaf de kar een fikse douw en begon weer te lopen. Van gemene plannetjes kreeg ze altijd nieuwe energie.
'Berta, stop. Niet zo hard.' Gijsje was buiten adem. Haar dunne beentjes kraakten. Berta stopte. Niet omdat Gijsje het vroeg, maar omdat ze bij een splitsing waren gekomen. Er stond een wegwijzer.
'Naar welke kant wijst de pijl, Gijs?'
'Naar de stad natuurlijk,' hijgde Gijsje.
'Haha, dat had je gedacht.' Met een kakelende lach gaf Berta de wegwijzer een zwiep. De pijl wees nu in de richting van de hei. Dat was een ruig gebied met hier en daar wat bosjes en donkere, drabbige poelen. Er liep een kronkelig paadje, eigenlijk meer een karrenspoor. Dat was de weg naar het hutje van Boze Berta en Gijsje van Garderen.
'Wedden dat we straks bezoek krijgen, Gijs.' Gijsje haalde haar schouders op. Berta was niet wijs, ze kregen nooit bezoek. Maar ze had geen zin om daarover na te denken. Ze was moe en ze wilde naar huis.

Het hutje bestond uit een kamer en een bedstee. Het was er koud en donker.
'Effe een fikkie maken.' Berta propte wat vochtig sprokkelhout in het kacheltje. 'Het wordt nog gezellig,' grinnikte ze.
Gijsje kroop in bed. Wat deed Berta vreemd, zo vrolijk. Het leek wel of ze zong. Ja, een Sinterklaasliedje! Zou ze ziek zijn? Gelukkig klonk af en toe Berta's gemene kippenvellachje, maar toch was Gijsje er niet gerust op. Ze verstopte zich diep onder de klamme, oude lappendekens.
'Kom uit de bedstee, Gijs. Werk aan de winkel.'
Gijsje wilde dutten en dommelen en hield zich stil. Maar Berta stak haar hoofd door de bedsteedeurtjes en snauwde: 'Jij gaat eikels malen en dan slaapkoffie zetten.'
'Ik slaap zo ook wel.'
'Ja jij wel, slome! Maar de visite niet.'
'Wat zeur je toch over visite?'
'Mens, wat heb jij toch een klein koppie,' riep Berta. 'Sinterklaas komt op visite!' Ze veegde met een natte vinger een stukje raam schoon zodat ze een kijkgaatje had.
Sinterklaas! Trillend van schrik pakte Gijsje de koffiemolen. Sinterklaas was zo streng, net de schoolmeester van vroeger. Met bevende handen gooide ze het eikelpoeder in een pannetje om het te roosteren. De helft viel op de grond.
'Komt zwarte Piet ook?'
'Ja Gijs. Speciaal voor jou.'
Gijsje begon te klappertanden van ellende. Die enge zwarte Piet die rondsloop in het donker. Hij zag jou wel maar jij hem niet. Ze keek om. Bewoog daar iets? Nee, maar er stonk wel iets. Het eikelpoeder was aangebrand, helemaal zwart. Vlug goot ze er water en slakkenslijm bij. Terwijl ze in de pan roerde, dacht ze aan het paard met zijn grote bek, aan de roe met harde punten en aan de diepe, donkere zak. Gelukkig, de prut begon te borrelen. Ze nam de pan van het vuur en verdween ermee in de bedstee, deurtjes dicht. Het moest brouwen, bezinken en warm blijven, net als zij.

'Daar komt ie!' Door de snerpende stem van Berta schrok Gijsje wakker.
Er werd op de deur geklopt. Berta deed open en zei met een krake-

rig stemmetje: 'Nee maar, Sinterklaas. Wat een verrassing.'
'We zijn verdwaald. Weet u misschien...' begon een vriendelijke stem. Een beetje wollig. Dat kwam natuurlijk door de baard, dacht Gijsje.
'Kom binnen. Wilt u koffie?' zei Berta slijmerig.
Er werd overlegd en wat gestommeld en gehinnikt en toen kwamen ze binnen. Sint en Piet. Iets zwaars werd neergezet, stoelen kraakten, stof ritselde.
'Erg aardig van u dat we hier mogen uitrusten. Maar we moeten gauw weer verder, want de kinderen wachten op ons.' Sinterklaas zuchtte. 'Ik begrijp niet hoe we zo konden verdwalen, we hebben precies de wegwijzers gevolgd.'
Berta had de pan met slaapkoffie gepakt en schepte twee kommen vol.
'Heerlijk,' zei Sinterklaas. 'Dank u zeer, mevrouw.'
Gijsje hoorde hem zachtjes slurpen.
'Dank u wel, dame.' Dat moest Piet zijn. Wat een aardige stem. Daarna klonken er alleen nog slik- en slokgeluiden. Gijsje hoorde de wind om het huisje loeien en toen... gesnurk. Ze duwde de deurtjes open en verslikte zich van schrik.
'Berta! Wat doe je?' vroeg ze hoestend.
'Een ander modelletje, daar was die ouwe wel aan toe.' Nog een knip en Berta hield de baard van Sinterklaas in haar hand, als een oude buizerd die een donzig wit konijntje in zijn klauwen heeft. De goedheiligman was diep in slaap en zat onderuitgezakt op een stoel, in zijn ondergoed. Berta had de prachtige rode tabberd aan. Piet lag op de grond, zijn kleren op een slordige hoop naast hem. 'Gijs, jij gaat als Piet.'
Berta's geniepige lachje werkte aanstekelijk en vrolijk stak Gijsje haar stakerige benen in de glanzende paarse pietenpofbroek. Hij was veel te wijd en zat als een zak om haar heen.
'Gijs, wat sta je weer te teuten.' Daar stond Sint Berta. Gijsje begon te gieren van de lach. Vanonder de veel te grote mijter fonkelden valse felle ogen en ondanks de vriendelijke baard had deze Sinterklaas een akelig zuur bekkie. Hij leek nog het meest op een hele grote boze kabouter.
'Hou op met dat gekwaak, Gijs.' Berta pakte de staf. 'We gaan.'

Het stormde. Berta moest de mijter vasthouden en de tabberd klapperde woest om haar heen. Gijsje sleepte met de zware zak.
Toen ze het stadje naderden, hoorden ze muziek. 'Zie ginds komt de stoomboot,' klonk het uit honderden keeltjes.
'Jengelende krengen,' mompelde Berta en in haar ogen lichtten valse vonkjes op.
'Zal ik ze meppen?' Gijsje zwaaide met de roe.
'Nee, stommeling. Dan verpest je alles.'
'We gaan die kinderen toch mores leren, Berta?'
'Andere keer,' Berta stampte met de staf op de grond. 'Nu is het tijd voor de grote graai.' Gijsje keek haar sullig aan.
'Wat ben je toch stom, Gijs. Kijk: Sint en Piet, wij dus, gaan op bezoek bij de burgemeester. We pikken al z'n mooie spulletjes en pleuren ze in de zak. We zeggen "Doei, tot volgend jaar," en smeren hem.'
Aha, nu snapte Gijsje het. Toch jammer dat ze aardig moesten zijn tegen de kinderen.
Ondertussen waren ze in de hoofdstraat gekomen.
'Hoera!' De mensen juichten en zwaaiden en zongen. Vaders, moeders en kinderen waren moe en koud van het wachten en daarom letten ze niet goed op. Behalve een klein meisje. Ze riep: 'Papa, dat is Sinterklaas niet.' Onmiddellijk werden twee koolzwarte ogen op haar gericht, die zo venijnig keken dat het kind in een enorme huilbui uitbarstte. Haar vader voelde haar voorhoofd en bracht haar meteen naar huis en naar bed.
Zonder verdere problemen kwamen Berta en Gijsje bij het stadhuis. Ze klommen de trap op naar het bordes waar de burgemeester wachtte.
'Berta, kijk daar,' fluisterde Gijsje. Midden in het feestgedruis stond een jongetje heel brutaal naar hen te kijken, met een grote grijns op zijn gezicht.
'Dat kleine kreng weer.' Berta's ogen schoten vuur. Het jochie huiverde en holde weg, de hoek om.
Mooi, dacht Gijsje, gevaar geweken. Maar dat was niet zo.

Om de hoek stond Sjors stil bij een deur. Het was de achterdeur van het stadhuis, die uitkwam in de keuken. Hij ging naar binnen.
'Ben je klaar, Bob?'

'Nee,' snikte Bob. 'Is Sinterklaas er al?' Bob zat aan tafel. Tranen drupten op zijn volle bord.
'Hmmm lekker, stamppot.' Sjors nam een hap. Toen zei hij: 'Er klopt iets niet.'
'Het is koud. Ik mag pas weg als het op is.'
'Nee, ik bedoel met Sinterklaas.' Sjors ging zitten, trok het bord naar zich toe en begon te eten. Met volle mond ging hij verder: 'A, er is geen paard. B, Piet ziet eruit als een zak met pootjes. C, Sinterklaas is net een boze kabouter.'
'Dus ze zijn nep?' Bob schoof zijn glas melk naar Sjors toe.
'Ze zien er vreemd uit en toch ook weer bekend.' Sjors klokte de melk naar binnen, hield even op en zei: 'Toen die Sinterklaas me aankeek...'
'Toen kreeg je de bibberatie?' vroeg Bob. Sjors knikte.
'Dan is het Boze Berta,' zei Bob.
'En Gijsje van Garderen,' zei Sjors. 'Die zijn iets van plan. Laten we gaan kijken.' Maar eerst likte hij het bord helemaal schoon.
Op datzelfde moment sprak de burgemeester: 'Hartelijk welkom, Sint Nicolaas. Hebt u een goede reis gehad?' En hij schraapte heel deftig zijn keel om aan lange redevoering te beginnen.
'Ook goeiedag,' zei Berta. Het hele gedoe had haar al veel te lang geduurd en ze trok de zak uit Gijsjes handen.
'Voor de lieve kindertjes,' riep ze, terwijl ze de zak leegkiepte midden op het bordes. Onmiddellijk stortten de kinderen zich op de berg speelgoed. Ze gilden en krijsten, graaiden en stompten en trapten elkaar om zoveel mogelijk te pakken te krijgen.
'Geef hier die pop.' Drie meisjes trokken zo hard ze konden aan een roze babypop. Legostenen vlogen in het rond, ballen liepen sissend leeg, auto's werden platgestampt.
'Geef hier.'
'Van mij.'
'Ik eerst.'
En niemand zag dat Berta en Gijsje het stadhuis binnenglipten.
'Haha, gelukt.' Berta danste door de hal, smeet de mijter in de lucht en deed het Sinterklaaspak uit. Ze holden de eetkamer in.
'Hup, Gijs. Graai!' En ze grepen het tafelzilver uit de laden en ze gristen de antieke kandelaars van de schoorsteenmantel. Ze gapten alles wat glom en glinsterde en gooiden het in de zak.

'Berta, stop. Ik hoor iets.'
'Zeur niet. Dat zijn de gouwe tientjes die rinkelen.'
'Nee, het zijn paardenhoeven.' Op dat moment galoppeerde er een wit paard door de hoofdstraat met twee mannen op zijn rug, in ondergoed.
'Verdulleme, de slaapkoffie was niet sterk genoeg, Gijs. Jij ook altijd met je duffe konijnenkop.' Berta rende naar de deur, maar die zat op slot. Hoe ze ook bonkte en trapte en krabde, hij bleef dicht. Hij kraakte zelfs niet. Ze rende naar het raam en krijste: 'Verdulleme, daar heb je die snertkinderen weer!' Gijsje zag ze ook. Twee grijnzende jongenskopjes en toen werd het donker. Bob en Sjors hadden de luiken voor de ramen gedaan.
'Wat moeten we doen?' jammerde Gijsje.
Berta schudde de zak leeg achter de bank en zei: 'Vlug, Gijs. In de zak.'

Een paar minuten later kwam de burgemeester binnen. Samen met een agent en Sinterklaas, die zijn kleren had teruggevonden in de hal, en met Piet nog in zijn onderbroek. Alle mensen wilden kijken en dromden naar binnen. Twee jongetjes glipten als aaltjes tussen iedereen door tot ze vooraan stonden.
'Dag Sinterklaas,' zei Bob beleefd. 'U kunt die zak wel meenemen.'
Naast hem stond Sjors breeduit te grijnzen en te knikken.
'Tja, misschien is dat het beste,' sprak de Sint. 'Dat doen we eigenlijk nooit meer, een volle zak meenemen naar Spanje.' Hij dacht even na en toen hoorde iedereen een zacht gekerm en een boosaardig gesis uit de zak komen. Sint knikte naar Piet. De zak ging mee.
'Zo en nu eerst wat eten,' zei de burgemeester. 'Een lekkere stamppot gaat er altijd in.' Hij keek naar Bob, die een ontzettend vies gezicht trok.
Sinterklaas zei gauw: 'Misschien kan Bob wat warme kleren voor Piet opscharrelen.' En weg was Bob. En Sjors ook.
Na het eten vertrokken ze. Het paard verbaasde zich over dat vreemde pakket op zijn rug. Het zat vol knobbels en bulten die de hele tijd bewogen. En dan die geluiden. Daar kreeg hij helemaal de kriebels van.
'Rustig maar, schimmeltje.' Sinterklaas liep naast het paard en klopte het op de hals.
'De zak van Sinterklaas...' zong Piet. Het fluwelen huisjasje van de burgemeester paste hem precies. Net als het nieuwe jagershoedje met de fazantenveer en de drie zijden pyjamabroeken, over elkaar heen tegen de kou.
Opgewekt gingen ze op weg met de wind in de rug. Bob en Sjors liepen een heel eind mee en bleven daarna nog lang staan zwaaien. Toen ze niks meer konden zien, grijnsden ze naar elkaar en begonnen te rennen. Tegen de wind in, zo hard ze konden, wie het eerste thuis was.
En nooit heeft iemand nog iets van Boze Berta en Gijsje van Garderen gehoord.

In de rode jas van mama
Met een mijter van karton
Met de wandelstok van opa
Loop ik deftig naar 't balkon
Ik heb witte wollen draden
Aan mijn kin met plakband vast
Deftig bij de balustrade
Sta ik, zwaai ik, zeer gepast
Deftig naar het volk beneden
Naar de mensen in de straat
Want ze denken daar met reden
Dat de Sint te zwaaien staat:
Sinterklaas in zakformaat.

Valentine Kalwij

Sanne Maas

De echte

'Arme Sinterklaas,' zegt tante Lien.

Het is koopavond. Tante Lien en Lotje lopen samen door de stad. Overmorgen is het vijf december, maar de winkels hangen nu al propvol kerstversiering.

'Arme Sinterklaas,' zegt tante Lien, 'hij wordt helemaal weggeduwd.'

Lot haalt haar schouders op: 'Geeft dat. Sinterklaas en zwarte Piet, allebei bestaan ze niet.'

'Wat krijgen we nou?' Van schrik laat tante Lien haar hand los. 'En gisteren geloofde je nog wel.'

Lot kijkt naar de grond. 'Ik wìl niet meer geloven,' roept ze en ze stampt keihard met haar voet op de straat.

Tante Lien slaat haar arm om Lotje heen. 'Heeft Amber je geplaagd?' vraagt ze zachtjes.

Ineens begint Lot te huilen. Tegen tante Lien durft ze het wel te zeggen. Tante Lien is altijd zo lief. Tante Lien is dokter, in het ziekenhuis. En ze woont ook in de Kerkstraat. Lot en zij zijn dikke vriendinnen. Tante Lien werd vroeger ook geplaagd.

'Heeft Amber je gepest omdat je in Sinterklaas gelooft?' vraagt tante Lien.

'Ja,' snikt Lot, 'ze zegt poep-in-je-broek. Ze zegt dat ik een luier om moet.'

'Amber moet zelf een luier om,' zegt tante Lien boos, 'zo'n dikke pamper om haar grote mond.'

Ze lopen langs een koffieshop. Tante Lien gaat naar binnen. Ze bestelt twee koppen chocola en twee stukken gevulde speculaas. Ze geeft haar zakdoek aan Lot.

'Weet je wie er morgen bij mij in het ziekenhuis komt?' vraagt ze.

Lot zit als een ziek vogeltje achter haar chocola. Twee rode oogjes kijken tante Lien verdrietig aan. 'Wie dan?'

'De echte Sinterklaas,' zegt tante Lien, 'en weet je wat jij doet? Jij gaat een mooie brief schrijven. Om te vragen of hij ook bij ons in de Kerkstraat komt.'

Tevreden leunt ze achterover. Nou, wat vindt Lot ervan?
Maar Lot is opeens helemaal in de war. Een brief? Sinterklaas in de Kerkstraat? De èchte?
'Kost dat veel?'
'Dat kost niks,' zegt tante Lien, 'en de cadeautjes ook niet. Maar je mag er niet over praten. Het is ons geheim.'

Als ze even later naar huis lopen, is Lot een heel ander kind dan daarnet. Als een aap hangt ze aan de arm van tante Lien.
'Jij werd vroeger ook gepest, hè? Want jij geloofde ook in Sinterklaas.'
'Nou en of,' knikt tante Lien, 'maar van plagen word je groot. Dat zie je aan mij.'
Tante Lien heeft benen als boomstammen en handen als ovenwanten.
'Zo groot als jij hoef ik niet, hoor.'
Tante Lien schiet in de lach. 'Vergeet de brief niet,' zegt ze bij Lotjes deur, 'stop hem maar bij mij in de bus. En lekker slapen.'
'Jij ook,' roept Lot, 'dank je wel.'
De volgende morgen zit Lot al heel vroeg te ploeteren. Mam slaapt nog. De deur van Lots kamertje staat op een kier. Beneden hoort ze haar grote broer in de keuken rommelen.
Lot schrijft. Gelukkig hoeft de brief niet lang te zijn. Wel netjes. Keurig tekent ze de letters van haar naam.
'Is dat een brief voor Sinterklaas?'
Lot schrikt. De pen rolt op de grond. Ze heeft niet eens gemerkt dat haar grote broer al een hele tijd staat mee te lezen.
'Ga weg,' roept ze boos, 'het is een geheim.'
Snel stopt ze het briefje in haar tas. En na het ontbijt rent ze meteen naar de overkant.
Bij tante Lien is het nog donker. Ze schuift de brief door de bus. Dan loopt ze opgelucht het hoge bruggetje over, naar school.
Eigenlijk jammer dat niemand het weet, denkt ze. Zou ze Laura vragen? Laura gelooft ook. Die heeft Sinterklaas laatst zelf nog op het dak gezien. Maar dat mocht Lot aan niemand vertellen. Anders ging Amber haar ook pesten...
Op het schoolplein staat Amber, midden in een grote kring kinderen. Er zijn zelfs een paar groten bij.

‘Sinterklaas en zwarte Piet. Allebei bestaan ze niet,’ zingen ze. Ambers lange paardenstaart zwaait op de maat heen en weer. Ambers vader heeft de grootste slagerij van de stad. Amber slaapt in een roze bed en heeft tv op haar kamer.
‘Ha Lottepotje,’ roept ze, ‘krijg je een luier van Sinterklaas?’
Lots lip begint te trillen. Ze denkt heel hard aan tante Lien. Het helpt. Ze hoeft niet te huilen. Ze doet net of ze Amber niet ziet.
‘Kom je morgenavond bij mij?’ vraagt ze aan Laura. ‘De echte Sinterklaas komt bij ons. Maar het is een geheim.’
‘De echte?’ vraagt Laura met een scheef oog naar Amber.
Als ’s middags de school uitgaat, heeft Lot twee kinderen uitgenodigd: Laura en Amber. Ja, Amber!
‘Als je mij ook kiest, zal ik je nooit meer plagen,’ heeft Amber beloofd, ‘dan mag je misschien wel mijn vriendinnetje worden.’
Blij holt Lotje naar huis. Vriendin met Amber. En Sinterklaas bestaat lekker tòch. Ineens zijn al haar zorgen voorbij.
‘Je hebt aan Sinterklaas geschreven hè,’ roept mam meteen als ze binnenkomt, ‘wat leuk. Ik heb de hele straat uitgenodigd.’
Lotje schrikt. ‘Hoe weet je dat?’
‘Jááá,’ zegt mam, ‘iemand heeft het in mijn oor gefluisterd.’
‘Wie komen er dan?’
‘Dat zeg ik toch. De hele straat: de twee jongens met het hondje. En de Jansens van de hoek. Alleen mevrouw pianoles kan niet.’
‘En tante Lien?’ vraagt Lot.
‘Tante Lien ook natuurlijk. Maar die ligt nog te slapen. Ze heeft de hele nacht in het ziekenhuis gewerkt.’
‘Misschien is ze al wakker,’ roept Lot.
Ze rent weer naar de overkant. Bij tante Lien zijn de gordijnen nog steeds gesloten. O jee, als ze mijn brief nou maar aan Sinterklaas heeft gegeven, denkt Lot. Stel je voor van niet. Na het eten probeert ze het nog een keer: niemand thuis.
Ze slaapt helemaal niet lekker die nacht. En ’s morgens holt ze meteen weer naar het huis van tante Lien. Geen gehoor.
‘Wind je niet op,’ sust mam, ‘vanavond komt Sinterklaas. Ik weet het zeker.’
Dat stelt Lot een beetje gerust. Misschien heeft de Echte wel opgebeld. Mam zal haar heus niet voor de gek houden. En tante Lien heeft haar helemáál nog nooit in de steek gelaten.

's Avonds is Lotje het gelukkigste kind van de wereld. Ze heeft de hele dag meegeholpen om de kamer netjes te maken. Ze heeft een ketting met een Sinterklaasje om.
Laura en Amber staan het eerst op de stoep. Ze hebben ook mooie kleren aan. En een cadeautje voor Lot.
'Dat hoeft niet, hoor,' fluistert Lotje trots, 'de Echte heeft zelf cadeautjes bij zich.'
Amber lijkt ineens niet meer zo zeker van zichzelf: 'Hoe weet je dat het de Echte is?'
'Gewoon,' zegt Lot, 'dat weet ik.'
Ondertussen zijn de andere gasten een voor een binnengedruppeld. Iedereen heeft wat meegenomen. Mevrouw Jansen zelfs een grote taart. Iedereen is precies op tijd. Alleen tante Lien niet. Maar nu heeft Lot het veel te druk om zich zorgen te maken.
Buiten slaat de kerkklok zeven. En meteen gaat de bel. Keihard. Het hele gezelschap schrikt zich een hoedje.
'Jij moet hem binnenlaten, Lot,' lacht mam. 'Jij hebt hem uitgenodigd.'
Maar de deur is al open. En op de drempel staat... de gekste Sinterklaas, die Lot ooit heeft gezien.
Zijn haar komt zo uit een pak zigzagwatten. De vouwen zitten er nog in. Een kartonnen mijter is er met pleisters bovenop geplakt. Maar de pleisters laten los en de mijter hangt op half zeven. Over Sinterklaas' schouders is een vuurrode lap geslagen. Toch niet... ja wèl het gordijn uit mama's slaapkamer.
Lot is verlamd van schrik. Een bruine jongensarm gooit een handje poppenschuim door de kamer.
'Hier is Sinterklaas,' bromt de stem van haar grote broer. Iedereen lacht. Amber het hardst van allemaal.
'Die suffe Lottepot,' gilt Amber. 'Ik was er bijna ingevlogen.'
Lotje blijft stokstijf staan. Dit is een droom, denkt ze. Een nachtmerrie. Ze is te verslagen om boos te zijn. Wat een teleurstelling.
'Wil je ook een beetje poppenschuim?' vraagt Sinterklaas. 'Ik heb nog een zak.'
Lot sluipt naar de keuken.
'Tante Lien,' huilt ze in een afdroogdoek, 'waar ben je nou.' Mam komt haar achterna.
'Hè, wat ben je kinderachtig,' zegt mam, 'hij heeft toch zijn best ge-

daan? Hij vond het zo zielig als er niemand kwam opdagen.'
'Tante Lien,' jammert Lot, 'waar is tante Lien nou?'
'Misschien is er iemand ziek geworden,' zegt mam, 'ga nou naar binnen. Of kun je niet meer tegen een grap?'
Lot wast haar gezicht. Een grap? Mam heeft makkelijk praten. Mam zit morgen niet met Amber in de klas.
In de kamer is het een rommel van jewelste. Laura en Amber smijten met poppenschuim. Een van de jongens is per ongeluk in een stuk taart gestapt. Driftig wrijft hij met een servetje over het kleed. Meneer Jansen kijkt op zijn horloge.
'We moeten er helaas weer vandoor,' fluistert mevrouw Jansen. 'Het was erg leuk. Maar mijn man wil het nieuws zien.'
Lot stapt met neergeslagen ogen over de rotzooi heen. Stilletjes gaat

ze voor het raam staan. Ze durft niemand aan te kijken. Amber helemaal niet. Verdrietig staart ze naar de lege Kerkstraat. Geen mens te zien. Natuurlijk niet, iedereen zit hier. Om feest te vieren. Nou, lekker feest.
Ineens merkt ze dat de straatverlichting uitgaat. Mam ziet het ook.
'Stroomstoring?' roept mam. 'Wat gek.'
Ze doet het raam open. En dan wordt het nog gekker. Op straat klinkt muziek: een Sinterklaasliedje. Lot steekt haar hoofd naar buiten.
'Kom kijken!' schreeuwt ze ineens.
Fel wit licht schijnt op het hoge bruggetje.
'Daar!'
Iedereen verdringt zich tussen de gordijnen. Grote broer ook. De mijter is op de grond gevallen.
Op de brug staat een spierwitte schimmel. Met ingehouden pasjes trippelt hij de vlonder af, de straat in. En op het paard zit een statige oude meneer. Hij heeft een rode mijter op. De krul van zijn staf glinstert in het licht. Zijn fluwelen mantel valt in brede golven om hem heen. Zijn lange baard glanst als gesponnen zilver.
Alle gasten rennen naar buiten. Zomaar, zonder jas. Alleen Amber blijft in het gangetje staan: 'Ik durf niet.'
'Wat is dat nou,' zegt mevrouw Jansen verbaasd, 'en daarnet had je de grootste mond.'
Buiten gaat de muziek door. De hele Kerkstraat is er vol van. Zachtjes gaan de paardenvoetjes, trippeltrappel, trippeltrap...
De deur van tante Lien staat open. Lot rent naar de overkant. Hand in hand lopen ze de Echte tegemoet.
'Opruimen,' hoort ze mam roepen, 'allemaal naar binnen. Klaarzitten.'
Lot staat voor het grote witte paard. Sinterklaas kijkt met vriendelijke ogen op haar neer.
'Je bent een dapper meisje,' zegt Sinterklaas, 'klein maar dapper. Je hebt een hele mooie brief geschreven.'
En voordat Lot snapt wat er gebeurt, wordt ze voor op de schimmel getild. Samen met de Echte rijdt ze op de maat van de muziek de hele Kerkstraat door. Op weg naar huis, waar alle mensen klaar staan om Sinterklaas te ontvangen.

Else van Erkel

De verlanglijst van Prins Florian

Prins Florian zat in zijn kamer achter zijn bureau en sabbelde op zijn gouden pen. Voor hem lag een vel papier met bovenaan een gouden kroontje. Verdrietig staarde hij naar dat velletje. Er stond maar één woord op: *Sinterklaasverlanglijst.* Meer niet. Want prins Florian wist niet wat hij vragen wilde aan Sinterklaas. Hij had alles al. Hij had zelfs zoveel speelgoed, dat hij daarvoor een speciale kamer in het paleis had gekregen.
Zal ik soms een huisdier vragen? dacht Florian. Maar hij had al een hond en een poes en een pony en een cavia en een goudvis.
Kleren dan misschien? dacht Florian. Maar daar had hij ook al een aparte kamer vol van.
Florian zuchtte. Op dat moment hoorde hij het klingelen van de etensbel. Hij legde zijn gouden pen neer en liep treurig door de marmeren gang naar de eetzaal, waar de koning en de koningin al op hem zaten te wachten aan de lange tafel.
Florian doopte lusteloos zijn zilveren lepel in de tomatensoep. Hij nam drie kleine hapjes. Daarna gleden twee tranen uit zijn blauwe ogen en vielen in de soep.
'Die soep is al zout genoeg hoor,' zei de koningin.
Toen Florian later op zijn chocoladepuddinkje ook twee tranen liet glijden, vroeg ze bezorgd: 'Is er iets?'
'Ik weet niet wat ik aan Sinterklaas moet vragen,' snikte Florian.
De koningin keek naar de koning. Die plukte aan zijn baard.
'Ik weet wat!' zei de koningin opeens blij. 'Je wilt dat je iets weet om te willen!'
Daar moest Florian even over nadenken. Daarna propte hij met drie grote happen het puddinkje naar binnen en rende terug naar zijn kamer. Op zijn verlanglijst schreef hij met zijn mooiste letters: *Ik wil graag iets willen.*

In een ander paleis, in Spanje, zat Sinterklaas in zijn werkkamer. Naast het grote bureau stonden postzakken vol met brieven. Telkens nam Sinterklaas een handvol brieven uit één van die zakken en

maakte ze open met een zilveren briefopener. Er zaten verlanglijstjes in. Sinterklaas legde ze op stapeltjes op zijn bureau. Sommige stapels waren heel hoog. Die waren van kinderen die het liefste een pop wilden hebben, of een bestuurbare raceauto. Verderop lagen de lagere stapeltjes. Sinterklaas scheurde de volgende envelop open. Er stond een gouden kroontje op. Nieuwsgierig haalde hij Florians verlanglijstje eruit.
'Hmm,' zei Sinterklaas nadat hij het had gelezen en streek nadenkend over zijn lange baard. Toen pakte hij een briefje dat in zijn eentje helemaal op de hoek van het bureau lag. Er stond:

Lieve Sinterklaas.
Ik heet Reni en wat ik het allerliefste wil, is geen speelgoed. Ik wil wel heel graag een andere kleur haar. Nu heb ik rood haar en daar ben ik helemaal niet blij mee. Kunt u mij helpen?
De hartelijke groeten van Reni.

Met een glimlach om zijn lippen stopte Sinterklaas het briefje van Reni samen met Florians verlanglijstje in de envelop met het gouden kroontje.

Heel vroeg in de ochtend van vijf december stond Sinterklaas op uit zijn logeerbed. De twee weken voor zijn verjaardag was hij nooit in Spanje. Dan logeerde hij altijd in het huis van de burgemeester.
Sinterklaas rilde. Hij sloeg snel zijn tabberd om en zette zijn mijter op. Daarna sloop hij de trap af. Uit een andere logeerkamer hoorde hij het gesnurk van zwarte Piet. Voorzichtig duwde Sinterklaas de deur naar buiten open. Daar was het nog donker. En koud. Sinterklaas trok zijn tabberd nog dichter om zich heen. Snel liep hij naar de stal. De schimmel snoof blij toen hij Sinterklaas zag.
'Kom,' fluisterde Sinterklaas. 'Wij gaan een tochtje maken.' Hij nam het paard mee naar buiten. Toen klom hij in het zadel. De schimmel hinnikte en steeg op, de donkere lucht in. Zoiets kan alleen het paard van Sinterklaas. Want hoe zou hij anders op al die daken kunnen komen?
Zo snel als de wind vloog de schimmel met Sinterklaas op zijn rug door de nacht. Niemand zag ze, want iedereen sliep nog. Tenslotte boog Sinterklaas zich voorover en fluisterde in het paardenoor:

'Hier is het.'
Zonder een geluid landde de schimmel op het dak. Voorzichtig liet Sinterklaas zich door de schoorsteen naar beneden glijden. Meestal deed Piet dat, maar nu moest hij het voor één keer zelf doen. Na een poosje kwam Sinterklaas door de voordeur naar buiten. Hij droeg iets in zijn armen. Het was een warme wollen deken die om iemand heen was gewikkeld. Opnieuw klom Sinterklaas op de paardenrug en daar gingen ze weer omhoog. De lange witte baard van Sinterklaas wapperde om zijn oren. Eindelijk zei Sinterklaas: 'Hier mag je landen.'
Het was al een beetje licht geworden. Onder hen zagen ze een wit paleis met gouden daken op de torens. Om het paleis heen lag een tuin, met rozenstruiken en marmeren bankjes en fonteinen. Alleen bloeide er geen enkele roos in de winter en zo vroeg in de ochtend spoten de fonteinen nog niet. De schimmel landde naast zo'n marmeren bankje.
Stijf van de kou steeg Sinterklaas af. Hij legde zijn pakketje in de warme deken op de bank.
'Ik ben zo terug,' zei Sinterklaas tegen de schimmel en hij liep weg in de richting van het paleis.

Prins Florian werd wakker door het geluid van een kiezelsteentje tegen zijn raam. Slaperig stond hij op en gluurde door een kier van zijn fluwelen gordijnen naar buiten. Van schrik liet hij ze meteen weer los. Beneden stond Sinterklaas!
'Prins Florian!' riep Sinterklaas zacht omdat hij niemand in het paleis wakker wilde maken. 'Trek een warme jas aan en kom naar buiten.'
Florian sloeg zijn fluwelen cape om en trok zijn bontlaarzen over zijn blote voeten aan. Zacht sloop hij door de marmeren gangen het paleis uit. Daar stond Sinterklaas op hem te wachten.
'Wat is er?' vroeg Florian nieuwsgierig.
'Kom maar mee,' zei Sinterklaas. 'Ik zal je iets laten zien.'
Naast elkaar liepen ze door de kale paleistuin tot ze bij het bankje kwamen waar de schimmel stond te snuiven.
Sinterklaas liep naar de bank en tilde de wollen deken op. Eronder lag een meisje in een lange witte nachtjapon. Ze sliep. Over die witte nachtjapon golfde een dikke bos rode, rode haren.

'Oh!' fluisterde prins Florian. 'Wat een prachtig rood haar!' Hij streek over zijn eigen blonde haren. Die waren dun en sprietig en bleek. 'Ik wilde, dat ik zulk mooi haar had!'
Het meisje deed haar ogen open en keek verbaasd naar boven. Geschrokken ging ze rechtop zitten en staarde naar Sinterklaas en de schimmel en naar Florian.
'Waar ben ik?' vroeg ze.
Sinterklaas glimlachte tegen haar. 'Goeiemorgen Reni! Schrik maar niet. Je bent in de paleistuin van prins Florian.'
Zorgzaam sloeg hij de wollen deken weer om haar heen. 'Het is te koud, alleen in je nachtjapon.'
Ze knikte. Toen merkte ze, dat prins Florian nog steeds met grote ogen naar haar stond te kijken. Ze kreeg een kleur. Wat wilde ze graag, dat ze niet van dat afschuwelijke, rode haar had.
Sinterklaas raadde haar gedachte.

'Prins Florian zou graag net zulk prachtig rood haar willen hebben. Maar dat gaat niet. Iedereen moet tevreden zijn met zijn eigen haar. Zelfs een prins!'
'Maar ik wil het. Ik wil het!' riep Florian. Hij was gewend dat hij altijd alles kreeg, wat hij wilde hebben.
Sinterklaas glimlachte opnieuw. 'Wat stond er ook al weer op je verlanglijstje?' vroeg hij. 'Je wilde niet iets hébben. Je wilde graag iets willen! Nou, dat doe je nu. Je wilt graag rood haar hebben!'
Prins Florian keek beteuterd.
'Maar het is niet erg dat het niet kan,' zei Sinterklaas. 'Want vind je het niet veel leuker om er naar te kijken? Als het op je eigen hoofd zit, kun je het niet zien.'
Florian knikte. Sinterklaas had gelijk.
Reni zat met grote verbaasde ogen naar het gesprek te luisteren. Ze vond het heerlijk, dat prins Florian haar rode haar zo mooi vond. Ineens was ze er blij mee. Voor het eerst van haar leven.
'Als je aan Reni vraagt of ze vaak bij je wil komen logeren, dan kun je steeds naar haar kijken,' zei Sinterklaas.
'Ja,' zei Florian. 'Maar het lijkt me nog leuker om samen met haar te spelen.'
'Wil je dat, Reni?' vroeg Sinterklaas. Reni knikte.
'Dat is dan afgesproken,' zei Sinterklaas. 'Maar nu breng ik Reni vlug terug naar huis voor haar vader en moeder wakker worden.'
Hij zette Reni op het paard en klom achter haar in het zadel. Meteen stegen ze op. Florian keek ze na tot hij alleen nog een klein wit stipje zag. En Reni's prachtige wapperende rode haren.

Van Else van Erkel is verkrijgbaar:

De eilanddroom

Diet Verschoor

Sinterklaas is verliefd

Iedereen praatte over Sinterklaas. Hij leek wel overal tegelijk te zijn. Soms kwam je hem zomaar tegen in een winkel. Of hij reed heel snel in een taxi voorbij. Een heleboel keren was hij op de televisie te zien. Hij reed zelfs op een fiets door de straten. En natuurlijk zat hij op een paard.

Sandrijn en Evert hadden hun schoen mogen zetten en die avond op de vijfde december zou het dan eindelijk pakjesavond zijn.

Maar eerst kwam Sinterklaas op school. Het hele schoolgebouw was versierd met tekeningen en slingers. Er klonk hele harde muziek en alle kinderen stonden op het schoolplein om Sinterklaas op te wachten. Er reed een rode auto voor met een open dak, waar Sinterklaas waardig uitstapte. Hij knikte vriendelijk en luisterde naar het welkomstlied.

Sinterklaas zou eerst de klassen rondgaan, dan zou de hele school zich verzamelen in de aula. In de klas van Sandrijn en Evert was het een enorme drukte.

'Allemaal stil,' riep juffrouw Molenberg, die zich door de kinderen juffrouw Lotje liet noemen. Iedereen was het erover eens dat zij de allerleukste juf van de hele school was. Ze kon heel mooi zingen, alle kinderen luisterden dan ademloos. Ze kon nog mooier zelfbedachte sprookjes vertellen op een manier dat je helemaal in het verhaal wegdroomde. Juffrouw Lotje zag er bovendien heel bijzonder uit. Ze had rode krullen en ze droeg bijzondere petten en felgekleurde kleren. De kinderen probeerden altijd haar petten te pakken en te passen.

'Ssst,' zei juffrouw Lotje weer. 'We moeten nog even geduld hebben, we zijn pas de derde groep die door Sinterklaas wordt bezocht. Kom, dan maken we een grote kring en dan ga ik vertellen tot Sinterklaas bij ons komt.'

Iedereen zat muisstil. Sandrijn stak een vinger in haar mond. Thuis vond niemand dat goed, maar juffrouw Lotje zei er nooit wat van.

Evert, de tweelingbroer van Sandrijn, kroop een beetje weg achter de rug van Claartje. Hij zag tegen het bezoek van Sinterklaas op en

probeerde zo te gaan zitten dat hij ongezien bleef.
Sandrijn droomde weg. Ze was al in het bos waarover juffrouw Lotje vertelde en zag alle dieren voor zich.
Opeens werd er heel hard op de deur gebonsd. Zwarte Pieten stormden de klas binnen en gooiden pepernoten tussen de banken. Daar achteraan kwam Sinterklaas.
'En dit is dus de groep van juffrouw Molenberg,' zei hij met een deftige stem. Hij keek vanuit de deuropening naar de kinderen die nog muisstil in de kring zaten.
'Juffrouw Lotje, juffrouw Lotje,' riepen ze toen, 'iedereen noemt haar juffrouw Lotje.'
'Zo zo, juffrouw Lotje dus,' zei Sinterklaas. Hij liep het klaslokaal in recht naar juffrouw Lotje toe.
En toen gebeurde het. Het was iets wonderlijks. Sandrijn zag het en haar vriendinnetje Dini zag het. Mireille, Daan en Evert zagen het ook. Maar niemand wist precies wat het was.
'Ik was net aan het vertellen,' zei juffrouw Lotje. Ze stond op en stak een hand uit naar Sinterklaas: 'Dag Sinterklaas, welkom bij deze groep... u...'
Toen stotterde juffrouw Lotje een beetje. Dat was vreemd. Juffrouw Lotje stotterde nooit. Ze had de allermooiste stem van de hele school en ze sprak zo duidelijk dat ze altijd alle toespraken moest houden in de aula.
Maar er gebeurde ook iets met Sinterklaas. Sandrijn zag hoe Sinterklaas de hand van juffrouw Lotje beetpakte, ze zag hoe hij zijn andere hand daaromheen legde en toen gaf Sinterklaas juffrouw Lotje zomaar een zoen.
De kinderen begonnen te joelen en de zwarte Pieten begonnen te springen. De ogen van juffrouw Lotje glansden en het gezicht van Sinterklaas straalde.
En toen schreeuwde Sandrijn zomaar de klas in, zonder dat ze het zelf wilde: 'Sinterklaas is verliefd!'
Eigenlijk was het net of iemand anders het gezegd had. Evert kreeg een vuurrode kleur en begon te hoesten. Het joelen werd steeds harder en de Pieten riepen in koor: 'Ja, ja, ja Sinterklaas is verliefd, hahahaha die Sint, die Sint.'
Ogenblikkelijk maakten ze er een gek liedje van en de kinderen begonnen het na te zingen. Ondertussen stond Sinterklaas nog steeds

bij juffrouw Lotje en het leek net alsof ze geen van tweeën konden lopen.
Sandrijn zat met verbaasde ogen te kijken en zuchtte zo diep dat Dini haar een stomp gaf en in haar oor fluisterde: 'Wat gebeurt er nou, is dat echt waar?'
Sinterklaas ging op een stoel dicht bij juffrouw Lotje zitten en zei met een diepe stem die een klein beetje trilde: 'Weten jullie nou wat Sinterklaas het allerliefste zou willen?'
'Nee, nee,' riepen ze allemaal.
'Ik zou het allerliefste willen dat juffrouw Lotje haar verhaal verder vertelt en dat ik dan mee mag luisteren. Ik heb gehoord dat jullie juf zo verschrikkelijk mooi kan vertellen en daar houd ik zo van. Goed?
'Ja, ja,' schreeuwden de kinderen, 'vertellen, vertellen!'
Het was reuze spannend om Sinterklaas zomaar vlak naast de juf te zien zitten. Niemand hoefde iets te doen en Sinterklaas vroeg nergens naar. Het grote boek bleef dicht en de zwarte Pieten deelden zomaar hun lekkers uit.
Onafgebroken keek Sinterklaas naar het gezicht van juffrouw Lotje. Het leek alsof hij totaal vergeten was dat hij voor de kinderen was gekomen. Juffrouw Lotje vertelde maar door en iedereen vergat de tijd. Maar weer werd er hard op de deur gebonsd. Het was de directeur die riep: 'Sinterklaas u moet nodig naar de volgende groep anders komen we in tijdnood.'
Het verhaal stopte. Sinterklaas stond plotseling op, hij liet zijn staf vallen en bukte. Toen viel zijn mijter van zijn hoofd.
Juffrouw Lotje barstte in lachen uit. 'Wat hebt u prachtige witte haren, Sinterklaas,' zei ze.
Maar Sinterklaas had zijn mijter alweer te pakken en met een zwierig gebaar maakte hij een knieval voor juffrouw Lotje en zei: 'Ik dank u voor dit geweldige verhaal, het is echt om nooit meer te vergeten.'
Toen pakte Sinterklaas juffrouw Lotje beet en maakte een paar gekke danspassen voor de klas.
'Sinterklaas is verliefd, ssst niet verder vertellen,' Sinterklaas grinnikte en maakte een knipoog naar de kinderen. Met grote stappen ging hij het lokaal uit en tikte in de gang nog een keer heel hard tegen de ramen.
De klas joelde hem na en begon heel hard te zingen. 'Dag Sinterklaasje, daaaag... daaaag... dag Sinterklaas.'

Juffrouw Lotje die nu werkelijk vuurrood zag, zei met een vreemde hoge stem: 'Jullie mogen alvast naar de aula gaan, kinderen, ik moet nog even wat regelen.'
Het was heel gek om je eigen juffrouw de klas uit te zien rennen, zonder op te ruimen, zonder om te kijken, zomaar te zien weghollen alsof ze achterna gezeten werd.
'Het is een idiote Sinterklaas,' riep Daan door de klas, 'hij heeft ons niet eens gezien.'
'Gelukkig niet,' zei Evert opgelucht, 'daar zijn we weer voor een jaar vanaf.'
'Hij is hartstikke verliefd,' riep Sandrijn, 'hij heeft het zelf gezegd.'
'Hij is zo gek als een ui,' riepen er een paar. En Daan zong:
'Sinterklaas, Sinterklaas
hij is gek en hij is dwaas
hij valt op juffrouw Lotje
dat is zijn lieve dotje...'

De kinderen gierden het uit. Ze staken alle overgebleven pepernoten tegelijk in hun mond en verdwenen naar de aula, waar ook alle andere groepen aankwamen.

Nog nooit was het zo'n gekke Sinterklaasochtend geweest op school. De directeur bracht Sinterklaas naar de voorste rijen stoelen die in de aula stonden opgesteld. Vlak voor hij wilde gaan zitten, struikelde Sinterklaas en viel bijna op de grond.
'Oh jeetje mina,' riep Sinterklaas, 'wat heb ik toch vandaag?'
Hij begon heel hard te lachen en dat werkte zo aanstekelijk dat iedereen begon mee te lachen. Sinterklaas zwaaide wild met zijn staf in de lucht en riep vrolijk: 'Zingen kinderen. Waarom zingen jullie niet. Ik wil een heleboel liedjes horen.'
Er barstte een luid gezang los. Sinterklaas stond op, gaf zijn staf aan de directeur en begon met twee handen te dirigeren, precies zoals echte dirigenten dat doen.
'Fantastisch,' riep Sinterklaas, 'zijn deze kinderen niet geweldig, zwarte Piet? Dit is werkelijk de allerleukste school waar ik ooit ben geweest.'
Toen gingen de toneelgordijnen open en Sinterklaas zakte met een grote plof op zijn stoel. 'Asjemenou,' zei hij, 'daar zul je het hebben.'
Op het toneel stonden juffrouw Lotje, meneer Van Straaten en een groep kinderen die samen het koor van de school vormden. Ze waren prachtig gekleed in mooie rode kleren en droegen allemaal witte gymschoenen. Er klonk een oorverdovend applaus, nog voor ze begonnen. Sinterklaas klapte zo hard dat zijn gezicht helemaal rood werd.
'Moet je Sinterklaas zien kijken,' fluisterde Sandrijn, die vlak achter hem zat. Ze wees naar hem en begon toen zachtjes met Dini te giechelen.
'Wij gaan een zelfgemaakt lied zingen,' zei juffrouw Lotje. Ze wachtte even en zei toen nog een keer: 'Wij zingen dus een lied...'
'Jullie zingen helemaal niets,' riep Sinterklaas en sloeg zich op de dijen van pret.
'Een zelfgemaakt lied over Sinterklaas, die oude baas,' zei juffrouw Lotje en ze keek ondeugend naar Sinterklaas. Er klonk nu een prachtig Sinterklaaslied, waarbij de kinderen dansten en juffrouw

Lotje en meneer Van Straaten om beurten een solo zongen.
'Bravo, bravo,' de stem van Sinterklaas was door de hele aula heen te horen toen het applaus losbarstte. Sinterklaas zwaaide met zijn staf in de lucht.
'Hum, hmm,' zei de directeur, 'stilte alstublieft, mag ik u uitnodigen, Sinterklaas, om op het podium plaats te nemen en voor ons uit het grote boek voor te lezen wat u over onze school hebt opgeschreven?'
'Dit is een te gekke gave school,' las Sinterklaas, 'hier worden schitterende sprookjes verteld en de kinderen leren prachtige verhalen schrijven. Op deze school zijn rekenen en aardrijkskunde niet zo belangrijk, heb ik begrepen...'
'Wat zegt u nou, Sinterklaas,' zei de directeur, 'wij vinden aardrijkskunde heel belangrijk, dat moet een vergissing zijn.'
'Niks hoor,' antwoordde Sinterklaas, 'alle zwarte Pieten hebben het erover. Dit is een sprookjesschool, iedereen moet hier heel goed kunnen vertellen, dat is het allerbelangrijkste. Want wie geeft hier les en draagt elke dag een andere pet? Wie is hier de allerspannendste juf van de hele school...?'
'Juffrouw Lotje, juffrouw Lotje,' brulden de kinderen.
'Precies, juffrouw Lotje, heel Spanje spreekt over haar.'
Intussen waren juffrouw Lotje en meneer Van Straaten te voorschijn gekomen en stonden ze opzij van het podium te luisteren.
'En verder,' zei Sinterklaas, 'lees ik hier dat op deze school gewoon helemaal geen stoute kinderen zijn, dus we gaan lekkers uitdelen, vooruit Pieten, smijt de boel er maar in.'
De kinderen begonnen direct te klappen en te stampen. Maar de andere juffrouwen en meneren en de directeur begonnen te draaien op hun stoelen en keken elkaar met verbaasde gezichten aan. Wat was dit voor een gekke en onbeleefde Sinterklaas?
Intussen was Sinterklaas naar de piano gelopen en hij begon in een razend tempo te spelen, terwijl de Pieten in een grote kring begonnen te dansen.
'Er is er een jarig, hoera, hoera, dat kun je wel zien dat ben ik,' zong Sinterklaas en hij sloeg keihard op de piano zodat er valse klanken uitkwamen.
'Allemaal het toneel op kinderen,' riep de Sint en hij wenkte met een grote zwaai.

‘Er is er een jarig hoera, hoera
en daarom vieren wij feest
wij dansen wij springen
wij schreeuwen hoera
want Sinterklaas is een beest!’

Het was even zo’n gekke situatie dat niemand ingreep. Een oorverdovend lawaai brak los door al die zingende en stampende kinderen. Iedereen leek door het dolle heen. Sinterklaas gooide zijn mijter van zijn hoofd en schudde heel hard met zijn enorme witte haardos. Hij sleurde juffrouw Lotje, die handenklappend aan de zijkant van het toneel stond te lachen, mee het toneel op en begon wild met haar te dansen. Hij draaide hard met haar in de rondte.
De kinderen gierden het uit van pret. Juffrouw Lotje begon nu ook te zingen en danste vrolijk met Sinterklaas.
Toen greep de directeur in. Hij pakte de microfoon en riep heel

hard en streng: 'Dit moet afgelopen zijn, afgelopen, stilte allemaal.' Zijn stem sloeg over van woede.
Juffrouw Lotje maakte zich los uit de armen van Sinterklaas en vluchtte weg achter de gordijnen.
'U moet nu vertrekken, Sinterklaas. Het is tijd, meer dan tijd,' zei de directeur ijzig.
Sinterklaas boog heel diep voor de directeur en zei: 'Vertrekken, vertrekken... een beetje meer lol en een beetje minder streng, dat zou leuk zijn meneer de directeur, o wat zou dat leuk zijn.'
Waardig liep Sinterklaas de zaal uit met een grote grijns op zijn gezicht. De zwarte Pieten buitelden om hem heen.
'Dag Sinterklaasje, dag... dag...' zette iemand in.
'Dag kinderen, dag, dag, mooie verhalen blijven vertellen hoor en een dikke zoen voor juffrouw Lotje.'

In heel veel huizen werd het verhaal van die dwaze verliefde Sinterklaas verteld.
'Nou nou, het zal mij benieuwen of jullie juffrouw morgen nog op school is. Misschien heeft hij haar wel in de zak gestopt en neemt hij haar stiekem mee naar Spanje,' zei de vader van Evert en Sandrijn.
Niemand had gedacht dat hun vader gelijk zou krijgen. Toen ze de volgende dag op school kwamen, was de klas van juffrouw Lotje leeg. Er hing geen vrolijke pet aan het schoolbord, er stond geen gekleurde tas op de stoel. De kinderen keken verbaasd om zich heen. Tot ze de letters op het bord ontdekten. Het was het handschrift van juffrouw Lotje.

Lieve kinderen,
Zoals jullie wel begrijpen ben ik met Sinterklaas meegegaan naar Spanje. Hij is zo'n te gekke man en hij is verschrikkelijk verliefd op mij en ik op hem. We zijn midden in de nacht met de stoomboot vertrokken toen bij alle kinderen de cadeautjes waren gebracht.
De zwarte Pieten zijn allemaal meegegaan naar huis en nu ga ik ze voortaan les geven. Tekenen en taalles en verhalen vertellen natuurlijk.
Zorg ervoor dat jullie goed je best doen, want volgend jaar als het weer Sinterklaas is, kom ik mee naar Nederland en dan zal ik jullie alles over Spanje vertellen.
Veel liefs van juffrouw Lotje van Sinterklaas en van alle Pieten

Met open monden lazen ze de letters op het bord en begonnen ze door elkaar heen te roepen: 'Het is een grap, het kan niet.'
'Straks komt ze gewoon binnen.'
'Hoe kan ze nu zomaar naar Spanje gaan?'
Maar de directeur kwam binnen en zei dat juffrouw Lotje inderdaad vertrokken was. Zomaar, totaal onverwacht.
'Ze is meegegaan met Sinterklaas,' zei de directeur. Hij keek een beetje verdrietig want hij vond juffrouw Lotje ook de leukste juf van de hele school.
'Echt waar?' riepen de kinderen ongelovig.
'Echt waar,' zei de directeur.
Een heleboel kinderen keken beteuterd. Eigenlijk had die verliefde Sinterklaas iets vreselijks gedaan.
'Ik geloof het gewoon niet,' zei Sandrijn en ze stak drie vingers tegelijk in haar mond.
'Jullie zullen wel moeten,' zei de directeur, 'en nu gaan we de groep verdelen, tot er een nieuwe juf is.'
De kinderen keken naar de letters op het bord en konden moeilijk wegkomen uit het lokaal. Niemand praatte die dag meer over iets anders dan over Sinterklaas en juffrouw Lotje.

Een hele tijd later kwam er een brief uit Spanje. Hij was door juffrouw Lotje geschreven en er stond in dat ze de allermooiste suikerbeesten aan het bakken was die er ooit waren gemaakt. Dat Sinterklaas de liefste man van de wereld was en dat alle zwarte Pieten al een beetje Nederlands konden praten: 'Tot vijf december en met een zoen van Sint.'
Alle kinderen kijken uit naar de dag dat het weer vijf december zal worden, maar dat duurt nog heel lang.

Van Diet Verschoor zijn onder andere de volgende boeken verkrijgbaar:

Tessa (2 delen)
Nynke Toverbal
Verder kijken dan je neus lang is
De nachtclown
De blauwe koning
Mij zoeken ze niet
Het fluisterpotlood

Bronvermelding

De kleren van sinterklaas (Paul Biegel)
verscheen eerder in *De toverhoed*, Uitgeversmaatschappij Holland, Haarlem, 1979

Twee kaarsjes (Mies Bouhuys)
verscheen eerder in *Pieterbazen zijn nooit moe*, Uitgeversmaatschappij Holland, Haarlem, 1978

Versje (Mieke van Hooft)
verschijnt in 1997 bij Uitgeversmaatschappij Holland in *Roza, je rok zakt af*

De paraplu (Mies Bouhuys)
verscheen eerder in *Pieterbazen zijn nooit moe*, Uitgeversmaatschappij Holland, Haarlem, 1978

De tekening voor sinterklaas (Gerard Delft)
verschijnt in 1997 bij Uitgeversmaatschappij Holland in *Babet retteketet*

Sinterklaas is verliefd (Diet Verschoor)
is gedeeltelijk ontleend aan het boek *Sinterklaas is verliefd*, Uitgeversmaatschappij Holland, Haarlem, 1991